Bertrand Santini

Un grand merci à Tibo Bérard, pour son accueil,
sa bienveillance et son goût de la précision
ainsi qu'aux lecteurs, libraires et amis
qui m'accompagnent de livre en livre.

B. S.

L'arrivée
Plaisir d'offrir
Tête de fesses
Fleur
Déception
Idiote
L'os pas possible
Boîte à chaussures
Le foin
La barbe à papa
Les tomates
Mon nom
Chichi est là !
Pas d'accord
Le Monstre du trou
Les oiseaux
L'écureuil qui fait hi hi
Envie passagère
Les rêves
La fugue
Le papillon
Camomille
Le train

1er Juillet
– Saint Lulu –

L'ARRIVÉE

« *Ding Ding Dong… Nous arrivons en gare d'Aix-en-Provence* » a dit la voix du train.

Oh, mais ça ne prouvait rien ! La voix du train raconte souvent n'importe quoi. Elle prétend par exemple qu'on peut trouver d'excellents sandwiches au wagon-restaurant, mais c'est pas vrai, ils sont pas bons.

– Ça y est, Gurty ! On est arrivés, ma belle ! a bâillé Gaspard en s'étirant dans son fauteuil.

Gaspard, c'est mon humain à moi. Je l'aime trop. Il est gentil, joueur, fidèle – et quelle propreté ! Quand je suis née, il m'a prise dans ses bras et on ne s'est plus quittés depuis, sauf quand il va faire les courses au Monoprix.

« *Aix-en-Provence ! Trois minutes d'arrêt !* » a redit la voix du train.

Ça ne prouvait toujours rien. On pouvait très bien être ailleurs. Des trains, il y en a plein. Au moins quatre. Il y en a un pour Paris, un pour la Provence et puis un autre pour l'Amérique, mais celui-là, il vole. Il y a aussi le train pour l'Angleterre mais il est interdit aux chiens, sauf aux chiens d'aveugle. Mon Gaspard porte des lunettes, mais quand même pas assez pour être aveugle.

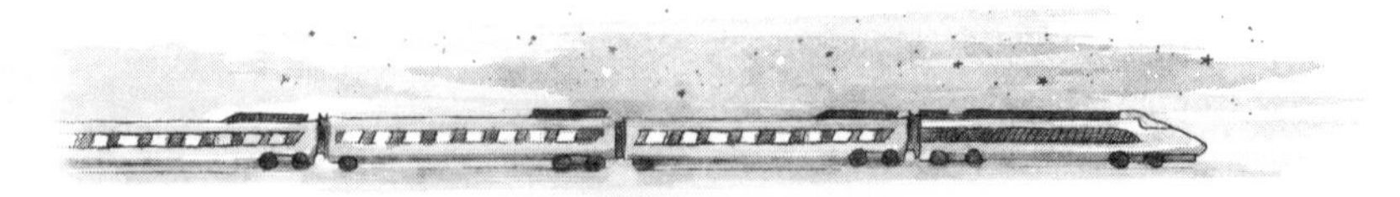

Peut-être qu'en vieillissant il deviendra complètement miro, comme Carlos, le caniche de Madame Rastapopoulos, et alors ce sera super, comme ça on pourra visiter l'Angleterre.

Quand le train s'est arrêté, je n'étais toujours pas certaine de notre lieu d'arrivée. Faut dire que la lune était en panne ce soir-là, et j'avais beau scruter le paysage à travers la fenêtre, on n'y voyait rien.

Finalement, les portes se sont écartées en faisant pschit et une bouffée d'air chaud m'a sauté aux moustaches, comme lorsqu'on ouvre le four pour voir si la pizza va bien.

Ouf ! La voix du train n'avait pas menti. Le vent de la nuit sentait bon le pistou, la lavande et les cannellonis.

Je me suis mise alors à faire de petits bonds d'excitation, exactement comme lorsque j'ai des vers.

D'un bond conquérant, j'ai sauté sur le quai grouillant de bagages à roulettes et de jambes à pieds. Et après avoir baptisé le sol d'une goutte de pipi, toute la Provence était à moi.

Notre voiture nous attendait sur le parking, sans broncher. Mais dès qu'on s'est assis dedans, elle a démarré comme une fusée pour nous conduire à la maison.

Ah, ma chère maison de Provence ! J'aurais pu la reconnaître les yeux fermés. Le vestibule sentait toujours le fenouil, le salon toujours le thym, la cuisine toujours l'andouille et mon panier toujours le chien.

Tandis que Gaspard ouvrait les bagages et les fenêtres, je suis allée m'asseoir sur la terrasse pour renifler les parfums de notre première nuit de VACANCES.

Un fumet d'écureuil planait au-dessus des cyprès – à vue de truffe, j'ai tout de suite reconnu l'énergumène que j'avais tenté d'attraper l'année dernière et aussi celle d'avant. Cet été, promis, j'arriverai à le choper ou alors, je m'appelle plus Gurty !

Près des platanes, des effluves de poubelle m'informaient que nos voisins, les Caboufigue, ne s'étaient toujours pas mis au régime. L'odeur de leur chat hantait le potager. Son arôme fétide attestait du fait qu'il avait rôdé ce matin près des courgettes, et qu'il avait mangé du saucisson la veille.

Bref, tous mes copains étaient là. Même ceux que j'aimais pas. J'étais drôlement impatiente de les retrouver !

Mais en attendant, je suis allée me coucher. La sieste dans le train m'avait épuisée et il fallait que je sois en forme pour demain, car j'aurais plein de vacances à faire.

2 Juillet
– Sainte Chems –

PLAISIR D'OFFRIR

Pour fêter le premier matin des vacances, je suis allée réveiller Gaspard avec un cadeau dans la bouche.

– Coucou ! j'ai dit gentiment. Regarde ce que je t'apporte de beau !

Toute personne normale aurait été ravie.

Gaspard, lui, il a poussé un cri.

Il était pourtant joli, ce rat !

Et c'était pas du toc ! Pas une camelote en plastique ou en chiffon. Non ! Il était mort – d'accord – mais c'était un vrai de vrai, qui empestait sacrément bon !

À ma surprise générale, Gaspard m'a traitée de cochonne et il a dit que c'était nul d'avoir tué « un animal comme moi ».

Mais d'abord, c'est pas moi qui l'ai tué, le rat. Il s'ennuyait tout seul dans la cuisine, alors je l'ai mordu pour rigoler et ensuite il est mort de vieillesse, peuchère. Et puis, le rat n'est pas « un animal comme moi ». Lui, il est moche et noir, alors que moi je suis belle et en couleur.

En guise de remerciements, mon cadeau et moi avons été jetés comme des malpropres dans le jardin.

Ça m'apprendra à vouloir faire plaisir, tiens ! On a beau être en juillet, la bêtise humaine ne prend décidément pas de congés.

Et pour montrer que j'étais pas contente, je suis partie fêter le début de l'été en gambadant toute seule dans les champs.

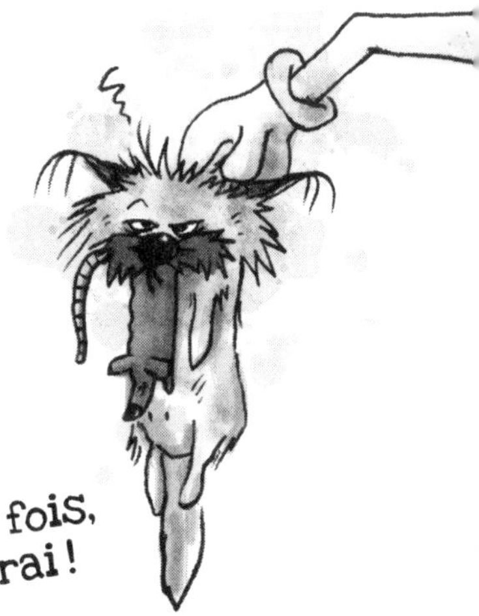

La prochaine fois, je me l'offrirai !

3 Juillet
- Saint Aggis -

TÊTE DE FESSES

Le chat des Caboufigue, nos voisins, s'appelle Jean-Jacques, mais moi je l'appelle Tête de Fesses parce que je trouve qu'il a une tête qui ressemble à des fesses.

Dès notre première rencontre, on s'est détestés. Je m'en souviens très bien, c'était il y a trois étés. Une grosse boule de poils ronflait sous le figuier et de loin, on aurait juré qu'il s'agissait d'un chien.

« Chouette, je me suis dit. Un nouveau copain ! »

Et j'ai couru planter ma truffe dans son derrière en guise de salutations distinguées.

Snif... Snif...

L'odeur m'a tout de suite paru bizarre. Ça ne sentait pas bon comme d'habitude.

Soudain, un œil gros comme un œuf s'est ouvert juste au-dessus de ma truffe. Ah, nom d'une bouse : je n'avais jamais vu de fesses écarquiller les yeux !

Quand les fesses se sont mises à miauler, j'ai compris mon erreur. Au lieu de sentir le derrière d'un chien, je reniflais le devant d'un chat !!! Je suis devenue rouge de honte, mais heureusement, comme j'ai des poils, ça ne s'est pas vu.

Ni lui ni moi n'étions ravis de ce malentendu, et on s'est quittés en se criant des gros mots.

En souvenir de cette rencontre, j'appelle Jean-Jacques « Tête de Fesses », et nous sommes d'accord pour être ennemis.

À chaque fois que je le vois, je lui crie : « Bonjour chez toi, Tête de Fesses ! », alors lui ça l'énerve et moi ça m'amuse.

Ce matin, j'ai deviné à sa mine constipée qu'il n'était pas ravi ravi de me revoir. Pour fêter nos retrouvailles, je lui ai foncé dessus en hurlant :

- Bonjour chez **toi**, Tête de Fesses !

Alors lui ça l'a énervé et moi ça m'a amusée.

Il a bondi sur une branche du figuier, puis il a tenté de m'effrayer en faisant des sons bizarres avec sa bouche, comme des bruits de porte de château hanté qui grince dans la nuit. Mais moi, ça ne m'a pas fait peur, vu qu'il faisait jour.

Il pensait que j'allais me décourager ? Il avait tort ! Au pied du figuier, j'ai attendu qu'il s'assoupisse. Et dès qu'il s'est mis à ronfler, j'ai fait…

– WAAARK !

Tête de Fesses a sursauté et s'est écrasé par terre, comme une bouse de pigeon.

Après ça, je suis rentrée à la maison en me disant que je passais vraiment de chouettes vacances.

4 Juillet
- Saint Chester -

FLEUR

Vers midi, j'ai aperçu ma copine Fleur en train de roupiller sous un pommier.

Fleur n'est pas normale mais faut pas se moquer. Par exemple, elle ne sait pas dire « oui ». Elle dit « ui ».

Elle est aussi très sensible aux chocs. Aussi, pour ne pas la réveiller en sursaut, je me suis approchée à pas de louve et j'ai chuchoté :

– Coucou, c'est moi !

Fleur a fait un bond pas possible et s'est écrasée sur le dos, les quatre pattes en l'air, raides comme des allumettes.

Fleur n'est pas normale mais faut pas se moquer. Par exemple, quand elle éprouve une émotion forte, ses jambes deviennent aussi dures qu'un Playmobil. On appelle ça « des crampes » et c'est rigolo mais pas pour elle.

– Gurty ! Tu m'as fait une de ces peurs !

– Toujours tes fichues crampes ? j'ai demandé.

– Ui, elle a soupiré. Et ça empire avec le temps. Parfois, mes pattes se bloquent même quand j'apprends une bonne nouvelle.

J'ai dit que ça devait être énervant et elle a répondu ui.

Lorsqu'elle a eu retrouvé l'usage de ses pattes, je l'ai invitée à venir manger à la maison.

– Il y aura du poulet, j'ai dit.

– Waoh ! s'est exclamée Fleur. Ça, c'est une bonne nouvelle !

Et BAM : elle est retombée sur le dos, les quatre pattes en l'air, raides comme des allumettes.

Fleur n'est pas normale mais faut pas se moquer. Par exemple, elle ne sait pas dire « Rhododendron », elle dit « Rodondondon ».

Elle est née par une nuit d'orage, dans un de ces magasins où les animaux se vendent comme des peluches ou des boîtes de haricots.

Il faut se méfier des marchands d'animaux. Ce sont des menteurs. Par exemple, ils prétendent aimer les bêtes, mais c'est pas vrai car on ne vend jamais quelque chose qu'on aime pour de vrai.

Fleur venait à peine de naître lorsqu'un vendeur l'arracha aux tétines de sa mère. Traumatisée par cette brutale séparation, Fleur ne grandit jamais, sauf un peu des oreilles. Résultat ? Après deux ans passés dans la vitrine du magasin, elle avait toujours la taille d'un bébé. Personne n'en voulait, même au moment des soldes. Il faut dire que la pauvrette était bien laide en raison de ses yeux noirs gros comme des raisins.

Au bout d'un moment, le vendeur songea à la jeter dans la poubelle, mais finalement il décida plutôt de s'en débarrasser en la faisant passer pour un hamster géant en promotion. Et bingo ! C'est comme ça que Fleur fut achetée par un de nos voisins, Monsieur Narbier, un gentil pépé myope qui voulait un hamster pour égayer sa retraite. Le vendeur était tellement content de se débarrasser de Fleur qu'il offrit en bonus à son client une mangeoire, un sac de foin et une pipette-abreuvoir.

Dans son nouveau foyer, la vie de Fleur ne s'améliora pas pour autant. À force d'être nourrie de paille et de carottes, la malheureuse avait tout le temps la colique. Elle ne savait pas ronger, ni boire à la pipette-abreuvoir et chaque fois qu'on lui faisait faire du jogging dans la roue, elle vomissait la paille et les carottes.

* * *

– Mon hamster est malade comme un chien ! annonça Pépé Narbier en amenant Fleur chez le vétérinaire.

– Normal... c'en est un, répondit le docteur.

Pépé Narbier, stupéfait, ouvrit si grand la bouche que son dentier tomba sur le sol.

Après l'avoir examinée partout partout, le vétérinaire déclara que Fleur était une fille et qu'avec des croquettes et de l'amour, tout rentrerait dans l'ordre.

Le bon docteur avait vu juste. Depuis qu'elle a des croquettes et de l'amour, c'est vrai que Fleur se porte mieux. Bye bye le mal au ventre, vive les os, les coussins et toutes ces joies qui font la vie d'un chien !

Toutefois, si l'amour apaise les diarrhées, il ne peut pas guérir de tout. En souvenir de son enfance malheureuse, Fleur a conservé un air fada et demande tout le temps si on va la taper.

Par exemple, quand je l'ai rencontrée, je lui ai proposé qu'on soit copines. Elle m'a dit ui, mais elle m'a demandé si je la taperais quand on serait copines.

J'ai répondu non et elle était contente.

5 Juillet

- Saint Zéro -

DÉCEPTION

Ce matin, dans un champ, j'ai aperçu le plus gros dalmatien du monde.

« Chouette ! Un nouveau copain ! j'ai pensé. On va bien rigoler ! »

Mais en m'approchant plus près, j'ai découvert que c'était une vache.

9 Juillet
- Sainte Falbala -

IDIOTE

Les chats ne sont pas des gens normaux. Non seulement ils sont couverts de poils, mais en plus ils ont une queue, des dents et des griffes : bref, tout un tas de choses que je trouve parfaitement ridicules.

Aujourd'hui, tandis que je prenais un bain de soleil bien chaud, je me suis exclamée très fort :

– Tiens, ça sent pas bon !

En vérité, j'avais dit ça parce que je venais de voir Tête de Fesses passer devant moi, et j'avais fait semblant de pas l'avoir vu pour l'énerver encore plus.

– Je sais très bien que tu m'as vu ! il a miaulé.

Moi, j'ai crié :

– Ah ! Salut Tête de Fesses ! Je ne t'avais pas vu !

Alors, lui ça l'a énervé et moi ça m'a amusée.

– Va-t'en, sale chat ! je lui ai lancé en rigolant.

– Espèce de raciste ! il m'a rétorqué.

– Quoi ? Moi, raciste ??? Je vois pas ce qu'il y a de raciste à faire remarquer que ta race est laide, bête, moche, cruelle et puante !

– Ah vraiment ? Et d'abord, qu'est-ce qu'elle a de si particulier, mon espèce ?

– Ben, par exemple, vous êtes couverts de poils !

– Comme toi !

– Euh... mouais. Mais vous avez une queue, en plus !

– Comme toi ! il a redit.

(Il commençait un peu à m'agacer, là !)

– Vous avez des dents pointues de vampire !

– Comme toi !

– Et des griffes au bout des pattes !

– Comme toi !

– Et en plus, des fois, vous avez des puces !

– Comme toi !

J'ai soudain réalisé avec effroi que ce gros lard avait raison. C'était vrai que j'étais tout ce que je lui reprochais d'être ! Une abominable pensée me fit alors frissonner de partout partout.

Et si j'étais un chat !?!?

Et si, en vérité, j'étais née dans une chatière et que mon Gaspard m'avait fait croire que j'étais un chien, rien que pour me flatter ?

À la réflexion, rien ne me distinguait vraiment de cette créature que je trouvais si laide et si différente de moi.

– Tu… Tu crois que je suis un chat ? j'ai murmuré en transpirant des coussinets.

Tête de Fesses a eu un grand sourire.

– Futée comme tu es, il se peut en effet que tu sois un félin. Après tout, ces animaux sont réputés pour leur intelligence !

– Alors, dans ce cas, heu… Hé bien moi, je suis idiote ! je me suis exclamée.

– Les chats sont agiles !

– Moi, je suis empotée !

– Les chats sont propres !

– Moi, je suis sale !

– Les chats sont raffinés !

– Et moi, je suis BESTIALE !

– Idiote, empotée, sale et BESTIALE ?

– Voilà ! C'est tout à fait moi ! j'ai déclaré fièrement.

Tête de Fesses a refait un sourire.

– Dans ce cas, pas de doute, tu es bien un chien !

– Ouf ! Me voilà rassurée ! j'ai soupiré.

Le gros bouffi s'est éloigné en gloussant et le soir, en repensant à cette discussion, je me suis rendu compte qu'il m'avait prise pour une idiote.

11 Juillet
- Saint Othello -

L'OS PAS POSSIBLE

Avoir une réserve d'os, c'est capital pour la santé. Comme ça, en cas de guerre ou d'hiver, on peut toujours se régaler pendant que tout le monde meurt sous des bombes ou de la neige.

Moi, j'ai des tas d'os cachés dans le jardin, mais je ne dirai pas où, parce que primo, c'est un secret et secundo, je m'en souviens jamais.

L'été dernier, Gaspard m'avait offert un **os pas possible** tellement qu'il était beau. Alors clac ! D'un coup de gueule, je le lui avais arraché des mains comme une sauvage et j'étais partie dans le jardin pour chercher une bonne cachette.

J'avais d'abord tenté d'enfouir l'os pas possible sous l'amandier ; mais comme la terre était trop dure, j'avais tenté sous l'olivier ; mais comme la terre était trop dure, j'avais tenté sous les courgettes ; mais comme la terre était trop dure, j'avais finalement décidé de l'enterrer dans le lit de Gaspard. Parce que là, au moins, c'est facile à gratter.

Et puis le soir, catastrophe !

Gaspard avait poussé un cri en trouvant l'os pas possible sous son oreiller.

J'avais alors repris mon trésor pour l'enterrer dans un pot de lavande, le gros près de la fontaine, et comme ça on n'en parlait plus.

Voilà. Une fois l'os pas possible à l'abri, j'étais rentrée me coucher en battant gaiement de la queue. En chemin, j'avais croisé Fleur qui m'avait demandé pourquoi je battais gaiement de la queue. Pour ne pas éveiller de soupçons, j'avais répondu que c'était pour chasser les moustiques.

On ne se méfie jamais assez de sa queue. La queue des chiens en dit long même quand elle est courte. Elle trahit nos pensées secrètes et il est difficile de lui apprendre à mentir. Par exemple, parfois je prends un air méchant pour faire une farce… et j'oublie que ma stupide queue rigole d'avance. Alors tout le monde devine que je prépare un sale coup et ma blague tombe à l'eau.

Donc, cela faisait bien un an que cet os m'était sorti de la tête. Mais ce matin, en passant près du pot de lavande, une **odeur pas possible** m'a rafraîchi la mémoire.

Bon sang, mais bien sûr !

Comment avais-je pu l'oublier ?

D'un coup de canine, j'ai tiré sur les lavandes et le pot s'est fracassé par terre en libérant mon trésor.

Il avait bien changé !

En mijotant toute une année sous terre, l'os avait complètement viré au bleu. Il empestait le moisi et grouillait de petits vers verts. De ma vie, je n'avais jamais rien flairé d'aussi infect. Pire qu'une couche de bébé !

Et ce fut donc le meilleur repas de ma vie.

12 Juillet
– Sainte Scapa –

BOÎTE À CHAUSSURES

Quand j'étais petite, j'adorais dormir dans les boîtes à chaussures.

Aujourd'hui, j'aime encore y faire la sieste de temps en temps.

Dommage que depuis mon enfance, mon Gaspard ait tant rétréci des pieds.

13 Juillet
- Saint Kenzo -

LE FOIN

Il y a près du garage une grosse botte de foin habitée par des souris. Tête de Fesses passe ses journées à rôder autour pour embêter les pauvrettes.

En passant devant, il m'est venu une idée sensationnelle pour prendre ma revanche sur ce gros lard : j'allais me cacher dans la botte et, quand il viendrait guetter ses proies, je jaillirais des herbes comme un obus pour lui flanquer la frousse de sa vie !

L'idée était si géniale que ma queue était pliée de rire d'avance, mais je lui ai dit « chut, on va se faire repérer ! » et elle s'est arrêtée.

À pas de louve, je me suis glissée à l'intérieur de la botte de foin. Comme c'était beau là-dedans ! Et comme ça sentait bon ! Un peu comme une odeur de foin.

De loin, on pourrait penser qu'une botte de foin, c'est pas intéressant. Grave erreur ! C'est un sacré cirque, là-dedans ! Allez donc y faire un tour et vous découvrirez une foule de bestioles incroyables : un univers dont la richesse et la frénésie n'ont rien à envier à des villes comme Paris, New York ou Trouville.

Dans l'obscurité de la botte, j'ai senti une présence. Certainement les souris, qui s'inquiétaient de ma visite.

– N'ayez pas peur ! j'ai chuchoté. C'est moi, Gurty ! Je viens pour jouer un sale tour à notre ennemi commun !

C'est vrai que d'ordinaire j'aime bien chasser les souris, moi aussi. Surtout les toutes petites qui font pas peur. Mais avoir un ennemi en commun, ça crée des liens et du coup ce jour-là, je me sentais copine avec toutes les souris du monde, même les toutes petites qui font pas peur.

Sans sortir de sous le foin, j'ai pointé le bout de mon museau pour surveiller les alentours. Ma truffe et mes deux yeux noirs se confondaient pile poil avec une paire de marrons qui traînaient sur le sol.

J'étais parfaitement camouflée.

Alors, je n'ai plus bougé, sauf pour respirer. À un moment, une fesse m'a gratté, mais je n'ai quand même pas bougé. J'imaginais le bond d'au moins dix mètres que le gros lard allait faire... Et son poil tout hérissé, comme si la foudre l'avait frappé en pleine poire...

Ah, qu'est-ce qu'on allait rigoler !

Soudain, le choc ! J'ai senti une masse énorme remuer tout près de moi !!!

– WAAARK !

J'ai fait un bond d'au moins dix mètres et je suis retombée par terre, le poil tout hérissé comme si la foudre m'avait frappée en pleine poire.

Et là, j'ai vu Tête de Fesses sortir du tas d'herbe avec la mine en colère.

J'ai hurlé :

– Mais qu'est-ce que tu fichais là-dedans, Tête de Foin ?! (j'avais tellement eu peur que je me suis trompée en l'appelant).

– Je guettais les souris, pardi ! il a grogné.

– Pff ! C'est nul de faire peur aux gens ! j'ai dit.

– Je l'ai pas fait exprès ! J'étais en train de tendre un piège aux souris et tu as tout gâché !

J'ai répondu :

– Hé bien toi aussi, tu as gâché mon piège !

– Quel piège ? il a demandé.

– Ça ne te regarde pas, gros bouffi !

Et je suis rentrée à la maison en faisant la tête.

En chemin, j'ai croisé Fleur, qui m'a dit :

– Tiens ! C'est rigolo, t'as plein de foin dans les poils !

Je lui ai même pas répondu.

14 Juillet
- Sainte Dolly -

LA BARBE À PAPA

Aujourd'hui on est allés se promener à Aix et il a fait très chaud. Moi, j'adore quand il fait très chaud, comme ça on mange des glaces. Sauf que des fois, il fait très chaud et Gaspard ne veut pas acheter de glace, alors on a chaud pour rien et je trouve ça bête.

C'est bête !

Sur la place des Prêcheurs, Gaspard m'a montré la maison où il est né quand il était petit. Mais maintenant cette maison est devenue un magasin de chaussures et ça l'énerve.

Au marché, on s'est arrêtés devant un étalage de fruits et légumes. Gaspard a pris huit tomates, six courgettes et deux melons qui sentaient bon. Une dame assise derrière les légumes a dit qu'on lui devait 10 euros, ce qui m'étonnerait bien vu qu'on la connaissait pas ; mais Gaspard a si bon cœur qu'il lui a donné un billet tout de même.

Cette promenade me rendait folle de joie. Bien sûr, la campagne est belle, mais question odeur, ça sent toujours un peu la fleur. La ville, en revanche, déborde de puanteurs subtiles que seule une truffe de chien peut comprendre.

Au pied d'un réverbère, un pissou tout frais racontait : « *Superbe Setter Irlandais, 9 ans mais bien conservé, cherche jolie rousse pour jeux et + si affinités* ».

Contre un tronc d'arbre : « *Ce platane est à moi. Dégagez. Signé : Fougasse, le bouledogue du café d'en face* ».

Sur un pneu de moto : « *Si je fais pipi ici, est-ce que quelqu'un va me taper ?* »

Et là, j'ai reconnu l'odeur de Fleur.

Sur la place de la Rotonde, j'ai trouvé une barbe à papa rose par terre.

Moi, je n'aime pas les barbes à papa, parce que c'est pas assez sucré. Je n'aime pas le rose non plus, parce que ça fait un peu cucul. Malgré tout, j'ai fait pipi dessus pour me l'approprier, car j'aime bien que tout soit à moi, même ce que je n'aime pas.

J'étais sur le point de rattraper Gaspard…

… quand j'ai senti une truffe me renifler le derrière. D'un bond, je me suis retournée.

Un petit chien me regardait avec deux yeux niais et une langue qui pendait.

– Non, mais ho ! j'ai râlé en montrant les dents. Je sais que je suis belle, mais pas touche !

Pour sûr, ça fait plaisir d'être belle, et d'habitude j'aime bien qu'on me sente le derrière. Sauf qu'aujourd'hui, il faisait chaud et j'aurais préféré qu'on m'offre une glace.

Quelques mètres plus loin, qu'est-ce que je sens ? Une seconde truffe qui me chatouille l'arrière-train. Alors là, ras-le-bol ! J'en avais marre d'être belle !

J'ai tourné la tête… et poussé un cri d'horreur.

– WARRRK !

La barbe à papa : elle m'était restée collée aux fesses !

Comme une couche !

Et rose, en plus !

Je vous dis pas la honte…

En réalité, mes poursuivants étaient plus intéressés par le parfum de la barbe à papa que par celui de mon derrière. Je suis devenue rouge de honte, mais heureusement, comme j'ai des poils, ça ne s'est pas vu.

D'un coup de patte, je me suis débarrassée de la barbe à papa et le duo de goinfres s'est rué dessus pour l'arroser de pipi.

– *ELLE EST À MOI !* a couiné le premier, un carlin, en l'aspergeant d'un jet catégorique.

– *NON ! À MOI !* s'est égosillé le deuxième, un chihuahua, en se cabrant pour expulser un pipi horizontal.

Les cris d'une grosse petite fille ont brusquement interrompu ce débat.

C'était Cassidy, la fille de nos voisins, monsieur et madame Caboufigues.

– Ouste, sales cabots ! elle a beuglé en ramassant la barbe à papa d'un air gourmand.

Monsieur Caboufigues, un gros aussi, est apparu avec un cigare dans la bouche et sa femme dans la main.

– D'où tu la sors, cette barbe à papa ? il a crié.

– Le marchand me l'a donnée parce qu'il m'a trouvée belle, a répondu la petite qui était donc une menteuse.

Puis elle a chantonné en croquant dedans :

– Mmh ! Je me régale ! Elle est bonne !

Et bien juteuse, en plus ! j'ai rigolé tout en filant rejoindre mon Gaspard.

HihiHihiHihiHihiHihiHihi

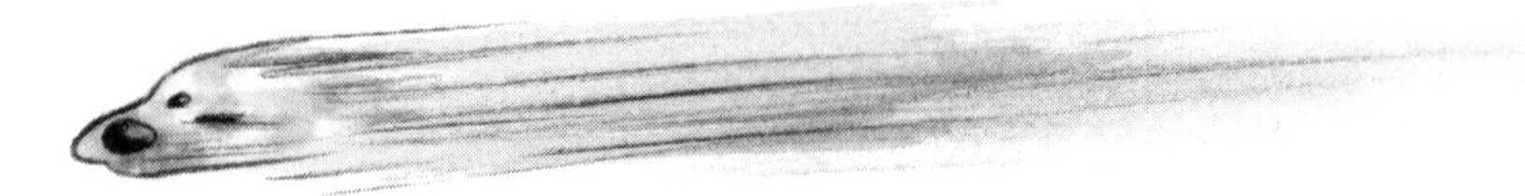

Dans la voiture, je me suis assise sur le journal d'Aix et quand nous sommes arrivés à la maison, j'avais la page politique collée aux fesses. Gaspard l'a arrachée (ouille !) en me demandant ce que j'avais bien pu trafiquer pour avoir le derrière tout rose et plein de sucre.

Moi, je savais, mais j'ai rien dit.

15 Juillet
- Sainte Chipie -

LES TOMATES

Avec Fleur, on a passé la matinée à regarder pousser les tomates. Emportée par la beauté du spectacle, je me suis exclamée tout à coup :

– C'est beau, une tomate !

– Ui, peut-être…, a concédé Fleur. Mais moi, j'aime pas les tomates. Ça n'a pas bon goût.

– Tu trouves ? Moi j'aime tout, sauf les cailloux.

– Non, moi j'aime pas les tomates, a redit Fleur – et d'ailleurs c'est tant mieux !

– Pourquoi, c'est tant mieux ? j'ai demandé.

– Parce que si j'aimais les tomates, j'en mangerais plein et ce serait horrible, vu que j'aime pas les tomates.

Après réflexion, j'ai trouvé ça pas bête.

20 Juillet
– Saint Pom –

mon nom

Mon Gaspard a des soucis de mémoire et ça m'inquiète un peu. Ce soir, il m'a appelée « Poulette » alors que mon vrai nom c'est Gurty.

Ce n'est pas la première fois qu'il se trompe, en plus. Parfois, il m'appelle par des noms trop bizarres, du genre :

Moustacha

Scoobidette

Oranginette

Chewbackette

Oreillette

La Bûche

Citrouilla

La Fée Kedébétiz

La Fée Poilue

Angelette

Cochonella

Proutinette

La Fée Débizou

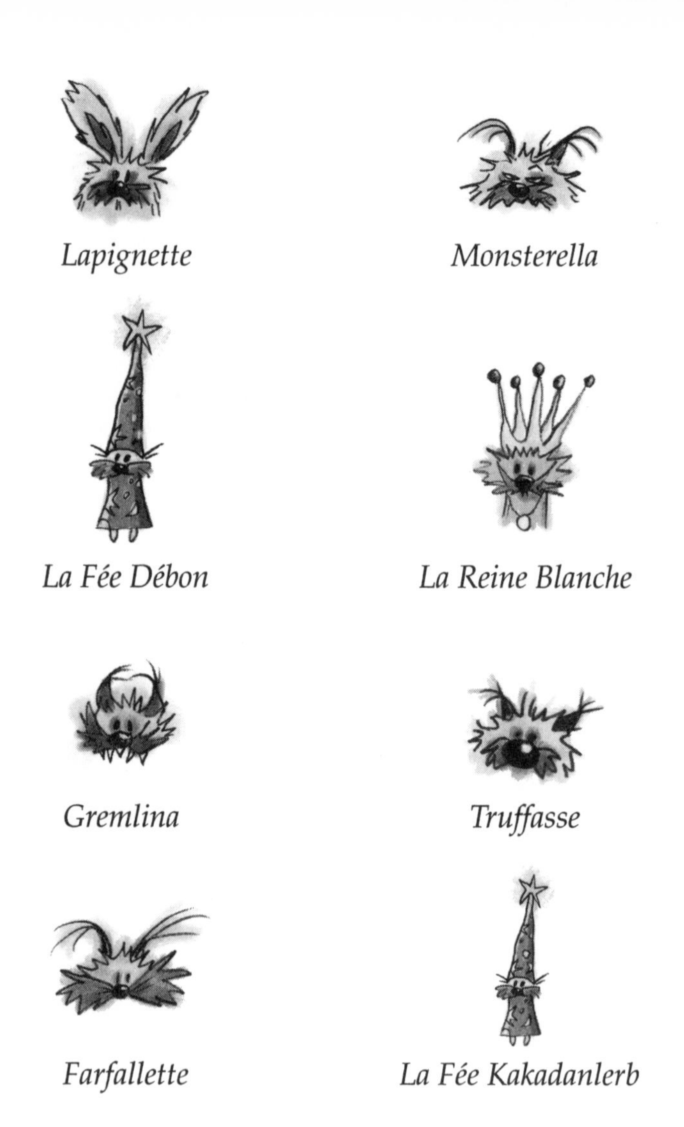

Quand j'étais petite, je croyais que je m'appelais Arrête. Mais c'était parce que je faisais souvent des bêtises et qu'on me criait tout le temps : « Arrête ! ».

ARRÊTE !

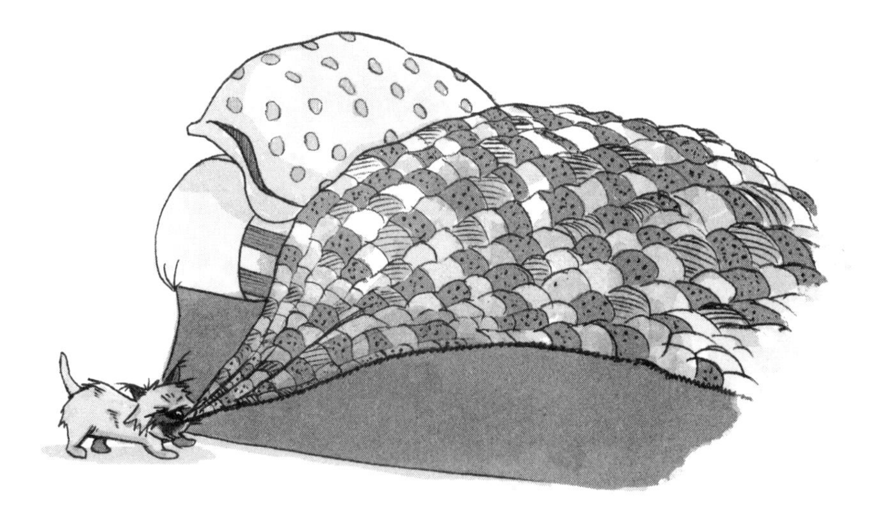

Plus tard, j'ai compris que mon vrai nom, c'était Gurty et tant mieux parce que c'est plus joli.

24 Juillet
- Saint Blacky -

CHICHI EST LÀ !

Aujourd'hui, notre voiture a décidé d'aller faire un tour à la mer et ça tombait bien parce qu'on était dedans.

J'adore la mer, mais dommage que ça mouille. Surtout les vagues. Quand j'étais petite, elles me faisaient peur, les vagues. Mais maintenant, laisse-moi rire ! Elles ont beau cracher de la mousse, ces froussardes finissent toujours par se ratatiner sur la plage avant de faire marche arrière comme de vraies poules mouillées !

J'aime aussi la plage, mais dommage qu'elle soit pleine de sable. Quand mes pattes ramènent un peu de sable à la maison, on me crie que c'est sale et qu'il va falloir passer le balai, alors que sur la plage il y a du sable partout mais bizarrement ça ne dérange personne. Pourtant, le sable, ça gratte, ça colle au poil et ça n'a pas bon goût. Mais faut reconnaître qu'on peut facilement creuser dedans et ça, au moins, c'est rigolo.

Les plages présentent aussi l'inconvénient d'être envahies de vacanciers qui font toujours des tas d'histoires.

Par exemple, dès mon arrivée, j'ai fait un trou dans le sable et notre voisin de plage (un maigre) est venu se plaindre que c'était dangereux parce que si un enfant tombait dedans, il pourrait se faire mal !

Mais le monsieur a dû repartir parce que sa fille avait creusé un trou et que son petit frère venait de tomber dedans.

Un peu plus tard, j'ai fait pipi sur le sable et le monsieur (toujours le maigre) est revenu crier que c'était « pas hygiénique». Mais il a dû repartir parce que son petit garçon faisait pipi sur sa sœur pour se venger d'être tombé dans le trou tout à l'heure.

Un peu plus tard, le vendeur de beignets est passé devant nous en poussant son fameux cri :

– Chichi est là ! Chichi est là !

Ma bouche s'est mise à baver et ma queue à battre comme un essuie-glace.

– Ah non ! Pas d'chichi ! a dit Gaspard en me faisant de gros yeux.

– Chichi est là ! Chichi est là ! a répété le vendeur, comme une provocation.

Alors, je me suis mise à pleurnicher, pas du tout parce que j'étais triste, mais parce qu'en pleurnichant, j'agace et qu'à force d'agacer, j'obtiens toujours tout ce qui me plaît.

– Tais-toi ! a grondé Gaspard en tapant le sable avec son pied, alors que le sable, il avait rien fait.

Mais j'ai continué à pleurnicher très fort, de plus en plus fort, et finalement Gaspard a acheté un chichi. Ma queue s'est remise à battre en projetant des paquets de sable sur notre voisin (vous vous souvenez ? Le maigre !) qui cette fois – bizarrement – n'a rien dit.

– Je ne t'en donne qu'un bout, m'a prévenue Gaspard en me tendant une miette. Sinon tu vas tomber malade.

– Comment ça, malade ? j'ai crié. Je suis jamais malade, moi ! J'ai un estomac en béton !

La preuve ? Un jour j'ai mangé un caca de chat et j'ai même pas eu mal. Hélas, j'ai eu beau menacer, gémir et pleurnicher, ce goinfre de Gaspard a dévoré mon chichi tout entier sans se soucier du torrent de larmes qui noyait mon regard bouleversant.

Mais – attendez ! Dans la vie, les méchants sont toujours punis et vous allez voir que la fin de l'histoire confirmera cette morale que j'apprécie beaucoup étant donné que je suis gentille.

Or, donc, après avoir ingurgité *mon* chichi, Gaspard a décidé qu'on irait faire un tour sur l'île d'en face.

Bonne idée, alors hop ! On a pris le bateau.

Ohé ohé, matelot !

Le bateau, c'est une invention super pour aller se promener en mer quand on n'est pas un poisson. Moi, je trouve ça marrant les bateaux. Surtout quand ils font du rodéo sur les vagues. Là, un petit vent mariole nous faisait justement tanguer sur les flots et je trouvais ça rigolo.

Mais figurez-vous qu'à force de tanguer, mon Gaspard est devenu vert. Sa bouche a d'abord fait **hipS** et puis **burp** et puis **Blorpblorpblorp** en vomissant le beignet qu'il m'avait volé.

– Chichi est là !!!! je me suis écriée en admirant la bouillie écrasée sur le sol.

Je l'ai dévoré d'un coup et digéré sans difficulté, confirmant ainsi de façon catégorique et simultanée que :

Grand 1 : Dans la vie, les méchants sont toujours punis.

Grand 2. J'ai un estomac en béton.

28 Juillet
- Sainte Twiggy -

PAS D'ACCORD

Aujourd'hui, on s'est fâchées avec Fleur.

On n'était pas d'accord sur un truc.

Si, c'est toi !
Non, c'est pas moi !
Mais si !
Non !
Non !
Non, c'est toi
Non, c'est pas moi !
Non, c'est toi !
Si, c'est toi !
Si, c'est toi !
Sens, et tu verras
que c'est toi !
Mais si !
Mais si !
Mais si !
Si, c'est toi !
Si !
Si !
Si, c'est toi !
Mais si !
Mais si !
Mais si !
Si, c'est toi !
Si, c'est toi !
Si, c'est toi !
Non !

Non c'est toi
Si c'est toi !
Mais non !
Si !
Si !
Non, c'est toi !
Si, c'est toi !
Non, c'est pas moi !
Non, c'est pas moi !
Non, c'est pas moi !
Non, c'est pas moi !
Mais non !
Mais non !
Mais non !
Non c'est pas moi !
Non !
Non !
Non c'est pas moi !
Mais non !
Mais non !
Mais non !
Je t'ai dis que non
Non c'est pas moi !
Non c'est pas toi !
Si !

31 Juillet
- Saint Barnabé -

LE MONSTRE DU TROU

En flânant ce matin près du bois des cigales, j'ai fait une découverte qui m'a rendue heureuse, ce qui tombait bien vu que moi, j'adore être heureuse.

Là ! Sous un bouquet de coquelicots !

L'entrée d'un *terrier*…

En voyant ça, je me suis dit oh là là et mes poils ont gonflé comme un soufflé au fromage. Ma truffe était catégorique : un monstre se cachait là-dessous et j'allais le capturer ou alors je m'appelle plus Gurty !

La bagarre promettait d'être belle. Pour une fois, ma proie ne serait pas un nunuche en peluche, ni un truc en plastique qui fait pouic. Non ! Aujourd'hui, le combat serait à bave réelle et l'ennemi, un monstre bio, 100 % naturel.

Toute cette affaire m'excitait tellement que j'ai arraché un coquelicot d'un coup de dent d'un seul.

C'est que je suis restée chasseuse, moi ! Et mes fesses ont beau apprécier le confort d'un coussin moelleux, mon âme n'a jamais perdu son instinct de louve sauvage.

Comme je faisais les cent pas autour du terrier, une autre découverte m'a fait bondir de rage.

Un second trou !

C'était une sortie de secours pour permettre au monstre de s'échapper en riant et en se moquant de moi.

OK... J'avais affaire à un rusé. Mais loin de me décourager, cette preuve d'intelligence eut pour effet de m'exciter davantage. Capturer un génie du mal rendrait ma victoire plus héroïque encore !

J'appelai aussitôt Fleur en renfort.

Fleur n'est pas normale mais faut pas se moquer.

Par exemple, elle sait pas dire « Week-end », elle dit « Uik-end ».

Devant la sortie de secours du monstre, je lui ai expliqué mon plan :

– Pendant que j'infiltre le trou numéro 1, tu t'assois sur le trou numéro 2 pour le boucher avec tes fesses et empêcher que le monstre s'échappe en riant et en se moquant de moi. Tu as compris ?

– Ui, mais si je bouche le trou avec mes fesses, est-ce que le monstre va venir me taper ?

J'ai répondu non et elle était rassurée.

Une fois Fleur bien installée sur le trou n°2, je me suis glissée à pas de louve dans le n°1.

Oh que ça puait bon, là-dedans ! À vue de truffe, ce sale veinard n'avait pas pris de douche depuis des années. Soudain, un vacarme remonta des profondeurs du terrier. Le monstre ! Il venait de bouger… Il était là ! Je l'entendais souffler, haleter et son cœur trépignait de rage d'avoir été découvert. Et puis, j'ai vu briller quelque chose dans le noir. Ses *yeux* ! Deux billes grosses comme des raisins qui me fixaient avec stupeur et effroi.

D'un coup de gueule, j'ai chopé sa queue ou quelque chose comme ça et le monstre s'est mis... à pleurnicher !

– Ouyouyouille ! Arrêtez ! Lâchez-moi !

– Tu peux toujours ouyouiller ! j'ai grogné toutes dents serrées. T'avais qu'à pas être un monstre et je te lâcherai jamais jamais !

Dans un ultime effort, j'ai tiré le monstre pour l'extirper du trou. Et quand j'y suis parvenue, j'ai découvert que c'était Fleur que je tenais par la queue.

– FLEUR ??? C'est toi ? j'ai dit très fort.

– Ui ! elle a dit très bas.

– Mais qu'est-ce que tu fichais là-dedans ?

– Je suis tombée dans le trou numéro 2 en m'asseyant dessus, a répondu la pauvrette.

Elle a dit qu'après, je lui avais sauté dessus comme une sauvage, mais ça, je le savais.

Fleur s'est redressée en tremblant, a fait quelques pas, puis BAM ! elle s'est écrasée sur le dos, les quatre pattes en l'air, raides comme des allumettes.

Quand elle a pu se remettre debout, j'ai dit que gratter un trou ça donnait faim et Fleur a répliqué que tomber dedans ça donnait faim aussi.

Alors finalement, on a laissé le monstre dans son trou et on a foncé à la maison pour demander quelque chose de bon à manger.

32 Juillet
- Sainte Dona -

LES OISEAUX

Vous savez ce que j'ai vu, tout à l'heure ? J'ai vu Tête de Fesses qui serpentait à travers les mauvaises herbes en serrant dans sa bouche un petit oiseau mort.

Faut vraiment être idiot pour s'amuser à tuer des oiseaux.

Personnellement, je trouve ça nul, d'être idiot. Ça ne fait que compliquer la vie. Surtout celle des autres. Car si un chat peut se distraire de mille façons, un petit oiseau, lui, n'a qu'une vie.

Bien sûr, il arrive aux chiens de tuer un rat, un moineau ou un lézard à l'occasion d'un jeu qui tourne mal. Mais c'est très différent, voyez-vous ! Car après avoir tué quelqu'un, les chiens sont toujours tristes alors que les chats, eux, sont toujours contents.

À ce sujet, des légendes prétendent que lorsqu'on meurt, on va au ciel. Si c'était vrai, ça ne changerait pas grand-chose pour les oiseaux, de toute façon. Mais je trouve que ce ne serait quand même pas une raison pour les tuer de leur vivant.

Bizarre, cette légende… Si elle était vraie, on ne saurait jamais si les oiseaux qu'on voit passer dans le ciel sont des vivants ou bien des morts.

Je ne sais pas qui a inventé cette légende, mais ça me semble parfaitement idiot.

Et personnellement, je trouve ça nul, d'être idiot.

35 Juillet
– Sainte Asté –

L'ÉCUREUIL QUI FAIT HI HI

Fleur m'attendait devant la maison, ce matin. En voyant sa tête à travers la fenêtre, j'ai tout de suite deviné qu'il y avait du vent.

« *Un temps à faire tomber les écureuils* », j'ai pensé en me précipitant dehors.

– Ah, quelle belle journée ! j'ai dit à Fleur en sautillant sur la terrasse.

– Ui, mais dommage que ça souffle, elle a répondu.

– Au contraire ! Avec un mistral pareil, les écureuils vont tomber des branches comme des figues pourries. Allez, vite ! Partons les ramasser, d'accord ?

– Ui, mais si les écureuils tombent par terre, est-ce qu'ils vont me taper ?

J'ai dit non et Fleur était rassurée.

Les écureuils c'est chouette, mais ça énerve. Ça vous nargue du haut des branches, ça fanfaronne, ça rigole et on a beau leur crier de descendre pour se faire manger, ils obéissent jamais.

Mais aujourd'hui, le Mistral allait les faire valser dans le ciel. Quelle rigolade en perspective !

Bravant les rafales qui dressaient nos oreilles en l'air, nous sommes allées nous asseoir devant le figuier pour attendre qu'un écureuil nous tombe dans la bouche.

Alors, on a attendu.

Les branches gigotaient en tous sens, comme si le vent les chatouillait. C'était super à voir.

À un moment, une figue est tombée et Fleur a sursauté.

* * *

Au bout d'un certain laps de temps, on s'est rendu compte qu'il n'y avait pas d'écureuil dans le figuier, alors on est parties ailleurs.

* * *

Un peu plus loin, on a aperçu un pompon roux qui tanguait au sommet du cyprès. C'était bien lui. Oui ! L'écureuil qui m'avait énervée l'année dernière et aussi celle d'avant.

– À l'attaque ! j'ai hurlé, en galopant vers l'arbre.

Du haut de sa branche, le mini diable nous a jeté un regard hautain et il a fait hi hi.

– C'est ça, rigole ! j'ai crié en essayant d'escalader le tronc, mais sans succès.

– C'est ça, rigole ! a répété ma copine.

– Tu vas voir ! Dans deux minutes, il est mort !

– Ah bon, pourquoi ? s'est inquiétée Fleur. Il est malade ?

Non, mais quelle andouille, celle-là ! Elle n'avait toujours pas compris que le but du jeu, c'était justement

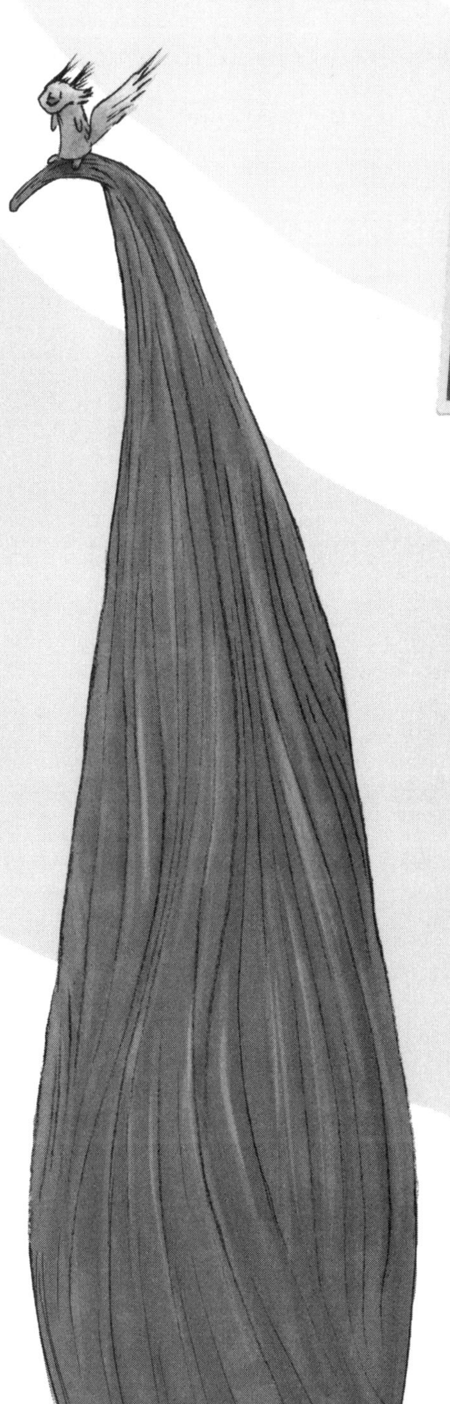

Sur cette photo récente
de l'écureuil qui fait hi hi,
on voit bien qu'il a
l'air agaçant.

que le vent fasse s'écraser l'écureuil par terre comme une bouse de pigeon !

– Contente-toi d'ouvrir la bouche et attends qu'il tombe dedans, j'ai expliqué.

– Ui, mais si on le mange, a demandé Fleur, est-ce qu'il va me taper après ?

– NON ! j'ai aboyé. Et maintenant, ouvre ta gueule et ferme ta bouche.

Hélas, trois fois hélas, le Mistral avait beau se déchaîner, l'écureuil restait toujours collé à sa branche comme une huître à son arbre. J'ai pensé que ce petit malin s'était sans doute placé des bouts de scotch sous les pieds et que je ne devrais pas oublier de les lui retirer avant de le manger.

– U croi qu'i a on é ? a demandé Fleur, la gueule toujours grande ouverte.

– Bien sûr qu'il va tomber ! j'ai répondu.

– An ?

– Bientôt.

– Acor !

C'est alors qu'il ne s'est rien passé.

L'écureuil continuait de nous narguer en lançant des hi hi de rire. Moi, j'étais tellement agacée que je faisais des petits bonds nerveux, exactement comme quand j'ai des vers.

– Tu vas tomber, dis ! Tu vas tomber ?

Et puis, Paf ! Il est tombé.

En plein sur ma tête. Fleur a sursauté si haut qu'elle s'est rattrapée au sommet du cyprès avec les dents ! C'était rigolo. Les rafales déchaînées la faisaient flotter comme un drapeau.

Accrochée à sa branche, Fleur ne faisait pas du tout hi hi de rire, mais plutôt pipi de peur, mais comme il y avait du soleil, ça a fait un arc-en-ciel et c'était joli.

Ratatiné par terre, l'ennemi ne bougeait plus. On aurait dit qu'il s'était cassé les piles. Alors, je me suis mise à pleurer, car c'est triste de voir un ennemi qui n'est plus en mesure de vous énerver.

Gaspard a accouru en short et en colère. Il a délicatement ramassé l'écureuil dans sa main, puis il m'a grondée – comme si j'étais pour quelque chose dans cette affaire !

* * *

Le vétérinaire a examiné l'écureuil partout partout avec une loupe.

– Je me demande bien quelle grosse vilaine lui a fichu une frousse pareille ! il a dit en me fixant avec de gros yeux.

Moi, j'ai fait semblant de m'intéresser au mur pour ne pas éveiller de soupçon. En vérité, j'étais rouge de honte mais heureusement, comme j'ai des poils, ça ne s'est pas vu.

En fin de compte, le vétérinaire a déclaré que l'écureuil allait bien, qu'il avait juste été sonné et que ça faisait 53 euros.

* * *

De retour à la maison, Gaspard a relâché l'écureuil dans la nature et il m'a dit de ne plus jamais l'embêter ou sinon je me prends une raclée. En guise de punition, il m'a ordonné d'aller me coucher dans mon pouf et plus vite que ça ou sinon gare à mes fesses.

Mais figurez-vous que cette punition tombait rudement bien, car après cette aventure, j'avais carrément besoin de repos.

36 Juillet

- Saint Nougat -

ENVIE PASSAGÈRE

Souvent, je me réveille avec une envie de poulet.

Ce matin, je me suis réveillée avec une envie d'avoir des bébés.

Sous mon ventre, j'ai huit jolis tétés roses ; je peux donc avoir huit bébés sans qu'aucun n'ait à se battre pour manger. Et si j'en ai neuf, c'est pas grave, mon Gaspard achètera un biberon.

Quand j'aurai des bébés, chacun de mes tétés aura un goût différent, car c'est excellent pour la santé d'avoir une alimentation variée. Mes tétés d'en bas seront au chocolat, ceux d'en haut, au gâteau et les autres auront un goût « vache-qui-rit », « couscous » ou bien « cannellonis ». Ainsi, mes bébés pourront téter salé ou sucré selon leurs envies et cela fera d'eux des petits êtres robustes et joyeux.

J'ai longuement pensé au bonheur que ça me ferait.

Mais après m'être étirée, j'ai jeté un œil par la fenêtre. Le ciel était d'un bleu pétant. Cette journée d'été promettait encore tout un tas d'aventures, de découvertes et d'escapades en liberté.

J'ai soudain pensé que si j'avais des bébés, je serais condamnée à passer la journée sur le dos, à me faire dévorer le ventre par huit morfales affamés.

Mon envie de bébé s'est aussitôt dissipée.

Et d'un trot léger, je me suis dirigée vers la cuisine avec une envie de poulet.

37 Juillet
- Sainte Vanille -

LES RÊVES

Avec Fleur, on a regardé passer un nuage, aujourd'hui.

Et tout à coup, j'ai dit :

– J'adore les rêves ! C'est deux fois mieux que la réalité !

– Ah ui ? Pourquoi ça ? a demandé Fleur.

– Hé bien hier, par exemple, tu te souviens qu'on a chassé des rats et mangé des cookies ?

– Comme si c'était hier ! s'est écriée ma copine.

– Hé bien, figure-toi que cette nuit, j'ai rêvé que je mangeais des rats à tête de cookie !

– Tu as de la chance, a soupiré Fleur. Moi, j'ai rêvé que j'étais mangée par des cookies à tête de rat !

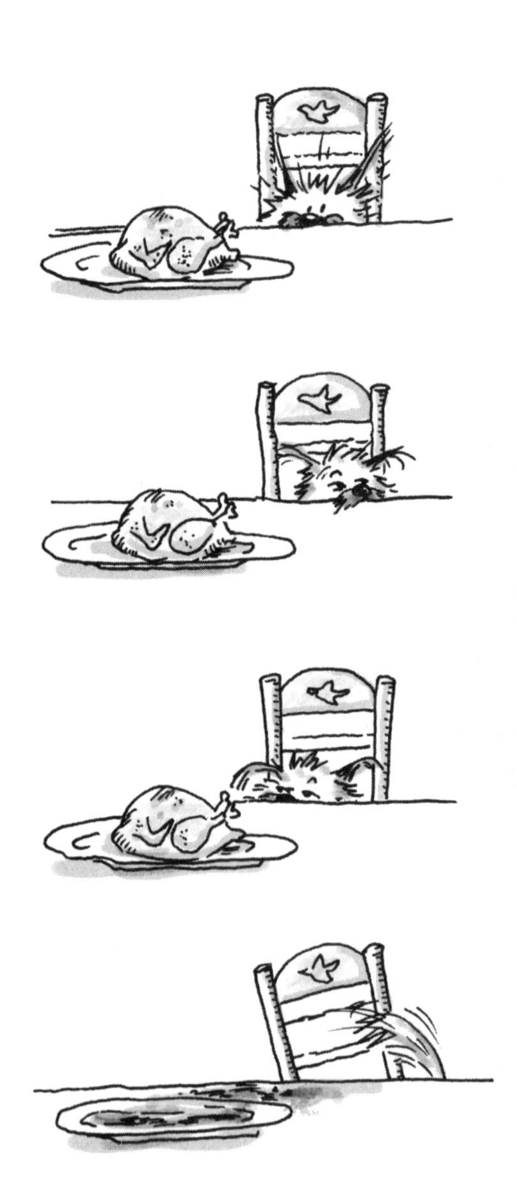

38 Juillet
- Sainte Chounia -

LA FUGUE

Ce soir, mon Gaspard a râlé tout rouge parce que j'ai emprunté le poulet rôti sur la table. Il a poussé des cris pas possibles et je suis devenue toute petite tellement que j'ai eu peur.

Franchement, je vois pas pourquoi il s'est mis en colère.

Car enfin, si je l'avais pas mangé moi, ce poulet, il l'aurait mangé lui.

Alors ! Hein ? Qu'est-ce que ça change ?

En filant me cacher sous le lit, j'étais folle de rage. MARRE !!! À bas la tyrannie ! La vie est vraiment trop courte pour la gâcher auprès d'un humain. Il était temps que je prenne le large pour vivre ma vie de petite louve rebelle et sauvage.

Alors, bon, OK, c'est décidé !

Je quitte cette maison pourrie pour toujours.

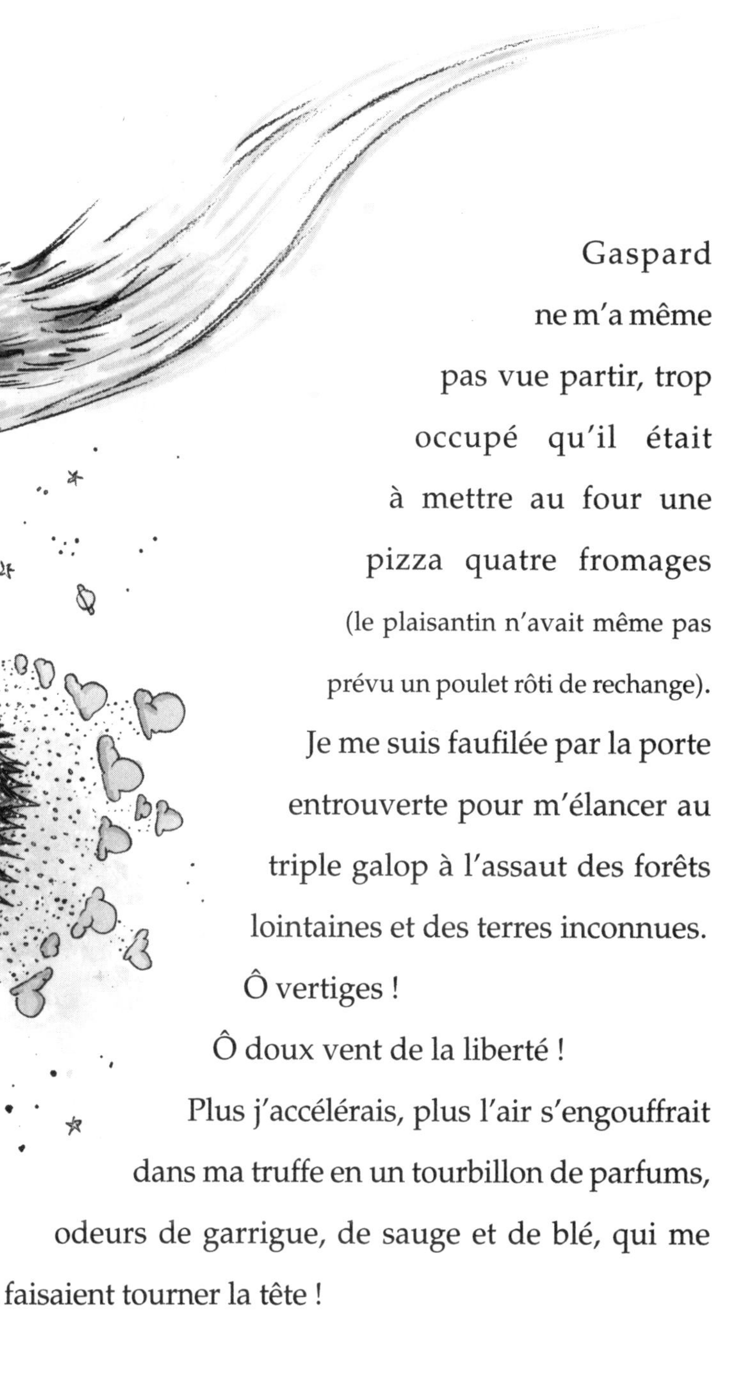

Gaspard
ne m'a même
pas vue partir, trop
occupé qu'il était
à mettre au four une
pizza quatre fromages
(le plaisantin n'avait même pas
prévu un poulet rôti de rechange).
Je me suis faufilée par la porte
entrouverte pour m'élancer au
triple galop à l'assaut des forêts
lointaines et des terres inconnues.
Ô vertiges !
Ô doux vent de la liberté !
Plus j'accélérais, plus l'air s'engouffrait
dans ma truffe en un tourbillon de parfums,
odeurs de garrigue, de sauge et de blé, qui me
faisaient tourner la tête !

À chaque mètre franchi, l'horizon grandissait. Derrière chaque arbre, il en poussait cent autres. Derrière chaque colline, dix nouvelles montagnes à gravir.

Quel bonheur !

Y a pas à dire, être heureux, ça fait plaisir.

***

Après des heures de voyage, j'étais vannée et je me suis assise au sommet d'une colline pour contempler l'horizon.

C'était beau, dis donc !

Devant moi, un nouveau monde. Je me trouvais si loin de tout qu'il n'y avait pas la moindre odeur humaine dans l'air. Franchement, ça repose !

Au loin, la crête des montagnes scintillait de rose.

Bientôt la nuit…

Dans quel pays étais-je arrivée ? J'espérais ne pas m'être égarée dans un de ces pays où, parait-il, les chiens se font manger comme si c'était de la viande.

Un vent mollasson chahutait doucement les branches basses des pins. Dans cet univers paisible, pas un cri, sinon le cricri des grillons. Aucune voix pour me donner des ordres du genre : « *Arrête d'aboyer !* », « *Déchire pas les coussins !* », « *Fais-moi un bisou !* », ni de stupides reproches comme : « *Mais pourquoi t'obstines-tu à faire caca devant le paillasson alors qu'on a quatorze hectares de jardin ?* ».

Bref, c'était le paradis !

Enfin... presque.

Un petit souci me chiffonnait, tout de même. Car s'il n'y avait plus de voix pour me gronder, il n'y en avait pas non plus pour me crier : « À table ! »

Un gargouillis me fit sursauter – c'était justement mon ventre qui avait faim. En quête d'un truc à grignoter, ma truffe se mit à renifler le sol. Hélas, dans ce désert étranger, rien à manger. Pas une croquette sauvage, pas un bout de saucisson ni un morceau de quiche qui traîne. Rien ! Non loin, un ver luisant perché sur une feuille n'éclairait qu'une étendue d'herbes sèches et de cailloux sans goût. La dèche !

À mesure que la faim augmentait, mon enthousiasme pour la vie sauvage diminuait. Mille et une questions se bousculaient dans ma tête :

Que se passe-t-il quand on a faim et qu'on ne mange pas ?

Y a-t-il des vendeurs de chichis dans la montagne ?

Et si je mange un ver luisant, est-ce que je ferai un caca qui brille ?

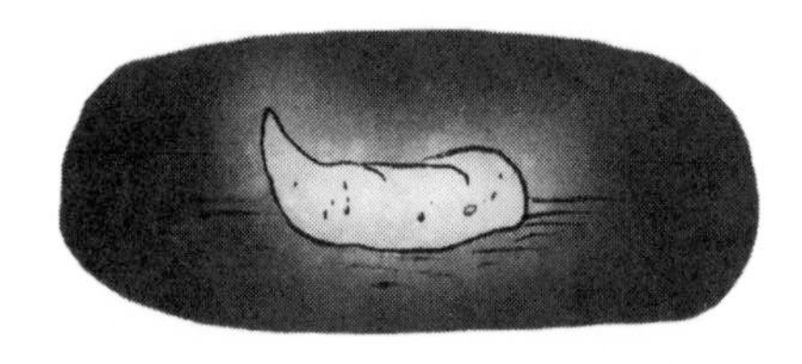

Toutes ces interrogations me firent bâiller. Pensez ! Cette escapade m'avait rudement fatiguée ! Je songeais avec nostalgie à mon gros pouf orange – autrement plus confortable que ce parterre de pommes de pin qui m'agaçait les fesses.

Mon Gaspard me manquait aussi, un peu. Moins que le pouf, mais quand même ! Mon humain était bête, méchant, cruel et radin mais si gentil !

Maintenant, avec qui allais-je faire la bagarre avant de me coucher ? Et qui me ferait des bisous dans l'oreille au moment du réveil ? Et des grattouilles aux fesses au moment du coucher ?

Mais qu'étais-je venue faire dans cette galère ?

Un *hou-hou* de hibou me fit sursauter. Il était temps de déguerpir de ce trou sinistre. Oui, mais comment ? Sans la moindre odeur humaine pour me guider, j'étais incapable de retrouver le chemin de ma maison ! Personnellement, je commençais un peu à paniquer. Un chien privé d'odeur, c'est comme un aveugle sans chien !

Nom d'une bouse : j'étais foutue !

Alors, je me suis mise à pleurnicher telle une biquette en détresse – et le souvenir de l'histoire de la chèvre de monsieur Seguin m'est subitement revenu à l'esprit.

Éprise de liberté (comme moi) et fatiguée des hommes (comme moi), la chèvre s'était évadée dans la montagne (comme moi) pour danser et faire la belle (comme moi). Mais la nuit venue – gros pépin –, le loup s'était jeté sur elle pour la manger.

Hum. Bon...

Pleurnicher telle une biquette en détresse m'apparut soudain être une super mauvaise idée.

Et si le loup m'avait entendue ?

Je sentis soudain une présence dans mon dos... Un souffle...

Je me retournais et...

Oh, PÉTARD DE CARABINE !!!

Assis sur un rocher, un loup prêt à me dévorer me fixait avec deux yeux gros comme des raisins !

Sauf que hé, non mais, ho ! j'allais tout de même pas me laisser bouffer comme une chèvre, moi ! Alors, d'un bond, je me suis ruée sur le loup…

… et devinez quoi ?

Le loup s'est mis à pleurnicher comme un bébé !

– Ouille ! Mais t'es folle ?! Arrête ! C'est moi, Fleur !

– Comment ???

D'un snif, j'ai reconnu le parfum de miel et de moquette typique de ma copine.

– FLEUR ???? C'est toi ?

– Ui.

– ÇA ALORS, MAIS QU'EST-CE QUE TU FABRIQUES EN CHINE ?

– Mais je suis pas en Chine ! a glapi Fleur. Je suis dans mon jardin !

– Ça alors ! Je pensais être allée beaucoup plus loin !

Soudain, Fleur a poussé un cri pas possible.

– MA MÉDAILLE ! J'AI PERDU MA MÉDAILLE ! TU M'AS ARRACHÉ MA MÉDAILLE !

Il est vrai qu'en lui sautant au cou, j'avais senti quelque chose craquer sous ma dent.

– Sans ma médaille, je vais me perdre !!! a couiné Fleur en se plaquant au sol.

– Mais non, voyons. Ta maison est juste derrière toi ! Allez, il se fait tard ! Rentrons chez nous !

– NON ! JE NE BOUGERAI PAS D'ICI ! elle a hurlé. Sans médaille, je suis dans *l'illégalité* ! Sans médaille, je ne marche pas, je *vagabonde* ! Si je cours, je *fuis* ! Si je ralentis, je *erre* ! Et les chiens errants finissent toujours au laboratoire avec des piqûres dans les fesses et des fils électriques dans la tête !

Entre nous, Fleur commençait sérieusement à me gonfler. Il était tard et j'avais hâte de rentrer chez moi. Toutefois, je ne pouvais pas l'abandonner dans cet état.

– Retrouver une médaille dans la nuit, ça va pas être simple, j'ai soupiré en reniflant le sol.

C'est alors qu'un murmure résonna dans les ténèbres.

– Moi, je vois très bien dans le noir…

Planqué dans un pot de géranium, Tête de Fesses nous scrutait avec ses petits yeux luisants de crocodile venimeux.

– Tu… Tu pourrais retrouver ma médaille ? bredouilla Fleur.

– Bien sûûûûr, marmonna le félin en prenant des grands airs de magicien. Car les chats ont des yeux qui peuvent TOUT voir !

D'un aboiement, j'ai rabroué ce prétentieux.

– Et tes fesses ? Tu peux les voir ?

Le gros bouffi se tordit le cou pour tenter d'apercevoir son derrière.

– Non, miaula-t-il.

– Bon ! Alors dis pas que tu peux TOUT voir ! j'ai répliqué d'un ton sec.

(J'adore clouer le bec aux chats par des réparties cinglantes.)

– On s'en fout s'il peut voir ses fesses ou pas ! a crié Fleur. L'important, c'est qu'il puisse retrouver MA CHÈRE MÉDAILLE !

– Mouiiii... mais avant de solliciter mon aide, murmura Tête de Fesses en se glissant hors du pot avec la grâce d'une couleuvre, encore faut-il que nous devenions amis...

– Amis ? j'ai jappé dans un frisson.

– Avec plaisir, beau gentil chat ! a gazouillé Fleur. Dis-moi ce qu'il faut faire pour être ton ami, et je le ferai !

(La servilité de Fleur envers l'ennemi m'a donné envie de vomir, mais comme j'avais le ventre vide, j'ai pas vomi.)

– Pour être amis, rien de plus simple, ronronna le fétide félin. Il te suffit d'affirmer haut et fort : « Les chats sentent bon ».

– Plutôt bouillir ! j'ai crié.

– Hé ben, va bouillir ! m'a rétorqué Fleur avec aplomb. Quant à moi, j'affirme haut et fort que « Les chats sentent…

– DES PIEDS ! j'ai crié.

– NON ! a répliqué Fleur. Les chats sentent…

– LA SARDINE POURRIE !

– PAS DU TOUT ! a hurlé Fleur avant d'inspirer un grand coup pour proférer l'épouvantable mensonge :

– LES CHATS SENTENT BON !

– À la bonne heure ! triompha Tête de Fesses avec un sourire sadique. Maintenant, nous sommes amis.

– OK ! Alors, cherche ma médaille, maintenant !!! hurla Fleur. Allez ! Cherche ! Cherche !

À son tour, le chat s'est énervé.

– Hé ! Me parle pas comme à ton chien, d'accord ?

– Je te parle comme je veux ! a gueulé Fleur. Maintenant qu'on est amis, tu M'OBÉIS et pis c'est tout !

– Va bouillir ! a beuglé Tête de Fesses.

Je trouvais la scène plutôt amusante.

– Franchement, vous vous entendiez mieux lorsque vous étiez ennemis, j'ai dit.

Finalement, Tête de Fesses a daigné jeter un coup d'œil autour de lui.

– Bon, ben, je la vois pas ta médaille… Désolé ! De toute façon, cette histoire de chats qui voient la nuit, c'est du pipeau. D'autant plus que, personnellement, je suis myope, même de jour.

Oh, le fourbe ! Je me suis avancée vers lui en montrant les dents.

– Alors, tu as forcé Fleur à dire un mensonge rien que pour te moquer de nous ?!

– Exact, a ronronné le fourbe. Certains ont le loto, les femmes ou le tricot pour passion. La mienne, c'est de prendre les chiens pour des nigauds.

Explosant de rage, je me suis jetée sur Tête de Fesses pour tenter de le couper en deux – mais l'affreux s'est enfui d'un bond en riant et en se moquant de moi. Comme je traversais le champ à sa poursuite, j'ai aperçu les lumières de ma chère maison.

Oh !

Un parfum de pizza quatre fromages planait dans les airs... À l'instant où j'ai déboulé dans la cuisine, le four faisait ding ding. La pizza quatre fromages était prête.

Ça alors !!!

La cuisson d'une pizza quatre fromages dure exactement 12 minutes et pas plus sinon ça crame. Vu que j'étais partie juste au moment où mon Gaspard l'avait mise au four, j'ai calculé que ma fugue avait duré exactement 12 minutes et pas plus sinon ça crame.

Nom d'une bouse.

Dire que j'avais eu l'impression de faire le tour du monde !...

– Et alors, ma Proutinette ? C'est l'odeur de la pizza qui t'a réveillée ? a dit mon Gaspard en entrant dans la cuisine avec un grand sourire.

L'innocent était loin d'imaginer que nous avions failli ne jamais nous revoir et que j'étais presque partie en Chine.

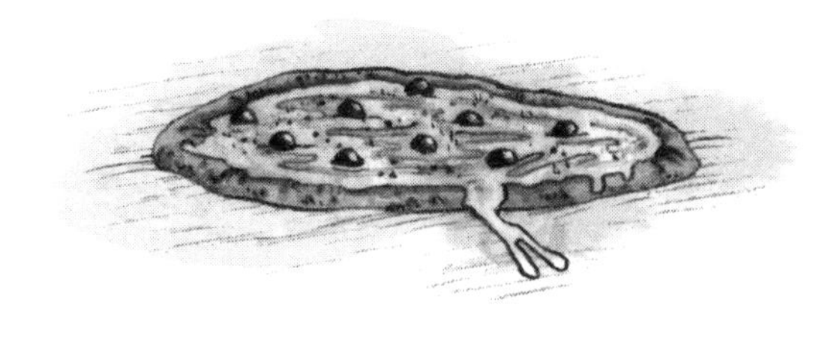

Après le repas, on est allés sur la terrasse et il m'a posée sur ses genoux.

– Regarde comme la nuit est belle.

C'est vrai qu'elle était jolie, la nuit, avec ses étoiles, ses grillons, ses chauves-souris et tout et tout. Et c'est vrai aussi qu'on était heureux ensemble. Jamais je ne le quitterai, mon Gaspard. Lui, sans moi, il serait perdu – et moi, sans lui, j'aurais souvent faim. Dans la vie, on se fâche parfois, mais c'est quand même pas une raison pour déménager en Chine.

Je me suis blottie dans ses bras et je lui ai fait un gros bisou sur la bouche pour lui dire que je l'aime trop et aussi parce que ses lèvres avaient encore un goût de pizza.

Moi, la pizza, j'adore ça. Surtout la quatre-fromages. J'aime aussi la Régina, la Margarita et celle avec des rondelles (chorizo).

Mais entre nous, rien ne vaut un bon poulet rôti.

40 Juillet
– Sainte Roxanne –

LE PAPILLON

C'était presque le soir.

Le soleil scintillait de ses derniers rayons orangés. J'ai relevé ma truffe pour renifler. Ça sentait triste et sucré…

C'était l'odeur de la fin de l'été.

Soudain, un papillon s'est posé sur un tournesol, juste devant moi. Pour ne pas l'effrayer, je n'ai plus bougé. Un vent tiède faisait trembloter ses ailes.

Alors, je l'ai entendu soupirer :

– Déjà le soir, hélas ! On n'a pas tous les jours midi !

Et quand il s'est envolé, je savais que je ne le reverrais plus jamais jamais jamais.

42 Juillet
- Saint Tchango -

CAMOMILLE

J'aime l'odeur des roses et des lavandes. Le parfum subtil du vent soufflant dans les figues m'enchante aussi. J'apprécie le fumet de la terre après l'orage et les senteurs nocturnes d'un jardin sous la lune.

Mais mon parfum préféré, c'est celui du caca.

Or donc, figurez-vous que ce matin-là, près des courgettes, j'en ai découvert un splendide.

Ô la Merveille !

Cette perfection de caca tombé du ciel s'achevait en spirale et scintillait d'éclats de rosée matinale. Sans mentir, un tel chef-d'œuvre aurait mérité d'être exposé dans un musée d'art moderne.

Pour avoir des amoureux, les humains doivent faire des choses compliquées comme gagner de l'argent, chanter, se maquiller ou passer à la télé. Le cœur des chiens n'est pas si compliqué : pour être aimés, il suffit de nous rouler dans un caca.

D'une pirouette gracieuse, je me suis vautrée dans le chef-d'œuvre d'art moderne.

Ah, quel bonheur ! En vérité, celui qui n'a jamais contemplé le bleu du ciel en prenant un bain de caca ne connaît rien du bonheur d'exister. Ainsi tartinée à la crotte, j'étais certaine d'attirer les plus beaux chiens de la région ! Tout en me tortillant sous le soleil, je rêvais à ce troupeau de toutous costauds, poil rebelle et bave au vent, galopant à travers champs pour venir me demander en mariage…

Aux gros chiens baveux tout fous, je dirais oui ; et aux petits caniches à sa mémé, je dirais non.

Tiens, un jour, j'aimerais bien faire un voyage en Afrique, histoire d'admirer un caca d'éléphant. Les éléphants sont tellement gros qu'ils doivent faire des cacas à deux places. Ainsi, je pourrais inviter Fleur à s'asseoir près de moi pour regarder passer les zèbres, les autruches ou bien des gnous.

Ma rêverie fut malheureusement interrompue par les cris de mon Gaspard :

– MAIS QU'EST-CE QUE TU FAIS LÀ ? ! Notre train part dans une heure et regarde dans quel état tu es !

Quel train ? Quel départ ? Ce n'était tout de même pas la fin des vacances ! Nous venions d'arriver il y a deux mois à peine !

– Tu es pleine de caca et on va rater notre train ! a continué de râler Gaspard.

Personnellement, je trouvais que ça faisait plutôt deux bonnes nouvelles !

Pourtant, il semblait très fâché.

Moi, je déteste me faire gronder parce que ça me fait peur, et quand j'ai peur, je deviens presque aussi petite et ronde qu'une balle de tennis.

Quand on me gronde encore plus, j'ai encore plus peur et je deviens presque aussi petite et ronde qu'une balle de ping-pong.

Quand on me gronde encore encore plus, j'ai encore plus peur et je deviens presque aussi petite et ronde qu'un noyau d'olive verte.

Sans délicatesse, mon Gaspard m'a saisie comme un sac de patates pour m'expédier dans la baignoire.

Misère !

Sous le crachin de la douche, je n'étais plus qu'une loque minable. Et dire que deux minutes auparavant, je nageais dans le bonheur ! En un éclair, j'étais passée du paradis à l'enfer, du blanc au noir, en bref et pour tout dire, du caca à la baignoire.

Mon Gaspard m'a frictionnée sans tendresse avec un shampooing à la camomille pour blondes – ce qui m'étonne bien, vu qu'on n'a jamais eu de blonde à la maison.

En sortant de la baignoire, je puais le propre comme une première de la classe, comme l'éponge avant la vaisselle et la culotte après la machine.

Oui, misère !

J'étais devenue une camomille de six kilos apte à prendre le train.

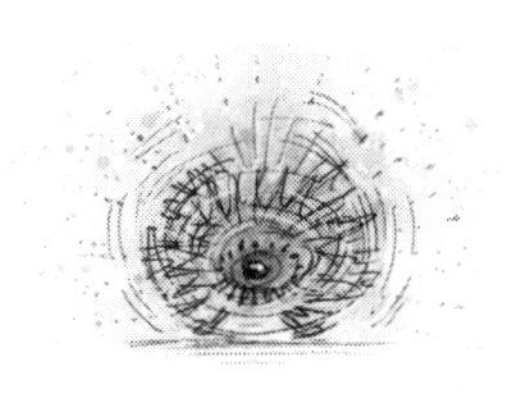

LE TRAIN

« Pshit ! »

Les portes du train se sont refermées sur le pays des vacances.

Nous étions de nouveau entourés par des tas de gens, et qui dit des tas de gens dit des tas d'ennuis. Le premier d'entre eux était un contrôleur pas content car monsieur aurait souhaité que je voyage dans une cage.

Mon Gaspard lui a expliqué que j'étais très sage dans les trains, que je dormais sous le fauteuil et que je n'embêtais jamais personne.

– Et si elle fait des saletés ? a dit le contrôleur.

Alors là, mon Gaspard a râlé tout rouge, et il y avait de quoi !

– Mais enfin, pour qui prenez-vous ma chienne ? Vous croyez qu'elle est du genre à faire caca sous un fauteuil ?

Comprenant qu'il avait affaire à un dur à cuire, le contrôleur a préféré s'éloigner pour aller embêter des voyageurs plus vulnérables.

Il y avait hélas dans notre wagon un ennui pas plus grand qu'un poulet mais encore pire qu'un contrôleur.

C'était un **bébé**.

Comble de malchance, il était assis juste derrière nous avec ses parents. L'horreur ! Surtout que c'était un bébé tout neuf, le genre chauve comme un œuf à faire flipper même un ogre.

Non content d'être hideux, ce bébé faisait un boucan pas possible. Les voyageurs, excédés par ses hurlements, tapaient le sol à coups de pied pour se consoler de ne pouvoir cogner directement dans le bébé.

Les parents du nuisible, un couple de jeunes gens propres, ne semblaient pas du tout dérangés par l'insupportable raffut. Émerveillés par les prouesses vocales de leur enfant, ils semblaient même l'encourager en lui adressant de larges sourires grimaçants !

Mon Gaspard chercha longtemps une manière courtoise de leur faire comprendre que ces hurlements importunaient tout le monde. Mais les cris stridents du bébé l'empêchèrent de réfléchir car finalement, il se retourna d'un bond en hurlant :

– Il pourrait la fermer, le grumeau ?

Le couple sursauta tandis qu'une voix de voyageur anonyme lâchait un retentissant :

– BIEN DIT !

De mon côté, lassée par cette affaire, je disparus sous le siège pour entamer une sieste.

C'est à ce moment-là que j'ai eu envie de faire caca. Et comme je fais toujours que ce que je veux, j'ai fait caca sous le fauteuil.

Presque aussitôt, j'ai vu la tête de mon Gaspard se pencher vers moi en frémissant des narines.

– Tu… Tu… Tu as fait caca ???

Oui, et alors ? Qu'est-ce que cela pouvait avoir de si extraordinaire ? Des cacas, j'en faisais au moins deux par jour depuis ma naissance !

Mon Gaspard se redressa sur son siège en serrant fort les dents avec ses dents et les accoudoirs avec ses mains. Ensuite, à ma surprise générale, il se retourna vers les parents du bébé en arborant un grand sourire amical.

– Ah, messieurs-dames ! Je suis honteux de m'être emporté !

– Heu, non, c'est pas grave, répondit le papa d'un air pincé.

– C'est qu'il en faut du courage pour élever un enfant ! Et pour être franc : je vous admire !

Le couple échangea un regard ahuri.

– Heureusement que des gens comme vous songent à repeupler la planète afin de perpétuer notre merveilleuse espèce, poursuivit Gaspard. Imaginez ! Si tout le monde était comme moi, dans cent ans, il n'y aurait plus que des chiens sur Terre !

– Vous êtes sincère ? demanda la maman si émue que les poils de ses avant-bras s'étaient redressés.

– Et comment ! Quel courage de renoncer à sa liberté, ses amis et son tour de taille pour donner LA VIE ! Ah, que c'est beau ! Oh, que c'est grand !

Sous mon siège, je me demandais bien pourquoi il débitait de telles sottises. Mais je n'allais par tarder à comprendre, HA HA ! (Je rigole car je connais la suite).

– Il est vrai que depuis la naissance de notre petit Pierre-Edmond, nous n'avons plus beaucoup l'occasion de nous détendre, murmura le papa.

– Pour me faire pardonner, confiez-moi donc votre petit ange et allez vous offrir un café au wagon-bar !

– Vraiment ? Ça ne vous dérangerait pas de garder Pierre-Edmond quelques minutes ? demanda le papa en tremblant de joie.

– Pensez ! Ce serait un honneur ! minauda mon Gaspard avec des trémolos de comédien dans la voix.

Ravis par la générosité de cette offre, les nigauds déposèrent leur précieux macaque dans les bras de mon Gaspard, et s'éloignèrent en chantonnant bras dessus bras dessous en direction du wagon-bar.

Aussitôt, mon Gaspard mit en œuvre un plan diabolique divisé en cinq étapes :

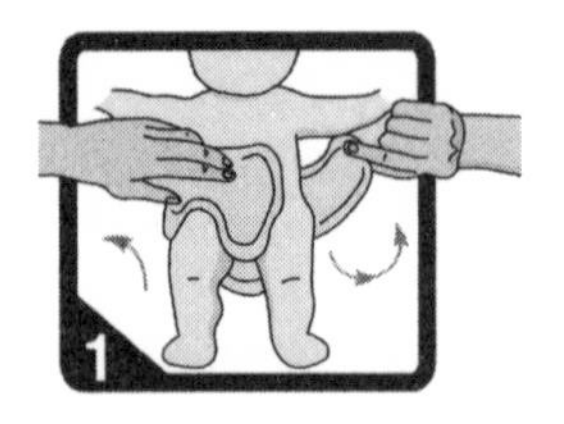

1. Dégrafer discrètement la couche de bébé

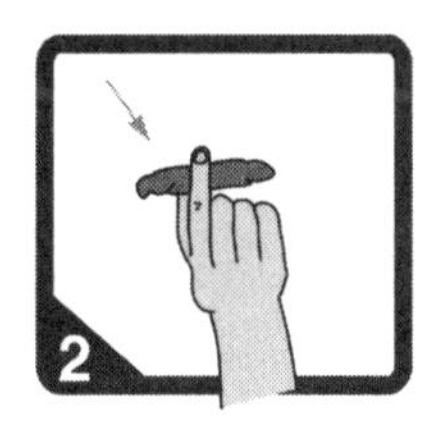

2. Saisir discrètement la crotte du bout des doigts.

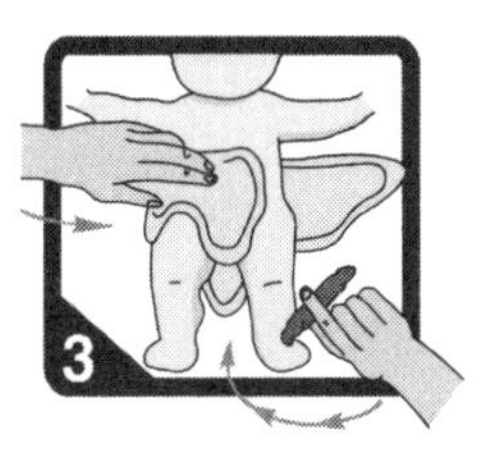

3. La glisser discrètement dans la couche.

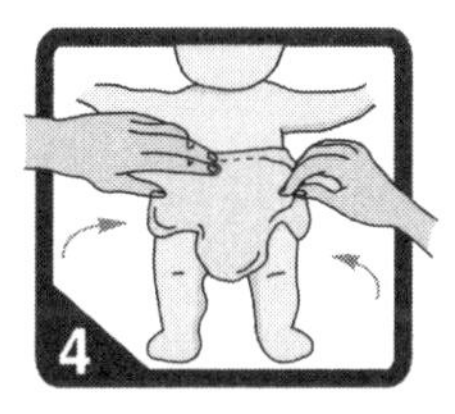

4. Regrafer discrètement la couche.

5. Redresser bébé sur ses genoux et siffloter d'un air innocent.

Lorsque les parents revinrent du wagon-bar, mon Gaspard brandit le bébé sous leur nez en gémissant :

– Ah, par pitié, reprenez-le ! Il m'a fait dessus ! C'est une infection !

– OH MON DIEU !!! hurla la maman.

– Vite, il empeste ! Sa couche est plus garnie qu'une hotte de Père Noël !

Le bébé devait trouver la situation marrante, vu qu'il rigolait bruyamment (qu'il pleure ou qu'il rie, il était pénible, de toute façon).

– NOUS SOMMES AFFREUSEMENT CONFUS !!! s'exclama le papa.

– Y a de quoi, bougonna Gaspard.

Les joues rougies par la honte (ça s'est vu car elle n'était pas assez poilue), la maman s'empara d'une couche propre et fila vers les toilettes en portant son bébé comme s'il s'agissait d'un colis piégé.

– MILLE EXCUSES ! répéta le papa en se laissant tomber dans son siège.

– Ho, laissez tomber ! soupira Gaspard l'air blasé. Ça m'apprendra à vouloir rendre service aux gens !

Il m'a adressé un clin d'œil et on a rigolé en secret, à l'intérieur de nos têtes, pour ne rien montrer.

Moi, j'adore quand les vacances se finissent par une bonne blague.

Mais attendez ! La meilleure restait encore à venir !

Car devinez un peu ce que la maman de Pierre-Edmond a découvert dans sa couche ?

La médaille de Fleur !

Plantée au beau milieu de ma crotte.

Ma copine n'avait donc pas eu tort : j'avais bien avalé par mégarde sa chère médaille !

En sortant des toilettes, la maman agita la médaille sous le nez de son mari.

– Chéri ! dit-elle, éberluée ! Il faut vraiment faire plus attention à ce que Pierre-Edmond avale.

Après tout ça, je me suis mise à bâiller. Ces vacances m'avaient littéralement épuisée.

Vivement qu'on y retourne, n'empêche ! On n'avait pas encore dépassé Valence que Fleur, Tête de Fesses et l'Écureuil qui fait hi hi commençaient déjà à me manquer.

J'ai bientôt commencé à frissonner de fatigue et Gaspard m'a emmaillotée dans son pull en me serrant fort dans ses bras. J'ai plongé mon nez entre mes pattes et je me suis mise en boule, comme un bébé.

Blottie dans la chaleur de mon papa, sa tendresse, sa force et son odeur, mes yeux se sont lentement refermés.

Comme j'étais bien !

Mieux encore : j'étais heureuse.

Et ça tombait bien, parce que moi, vous savez, j'adore être heureuse.

Les Carnets de GURTY

Rébus, Devinettes,
Mots croisés

Où se cache Tête de Fesses ?

2 *Cuisine*

3 test psychologique

Vous avez beaucoup à apprendre de nous !

Toutes les réponses vous attendent à la page 140 !

Le Tuyau de la VENGEANCE !

Dans quel tuyau Gurty doit-elle faire pipi pour arroser Tête de Fesses ?

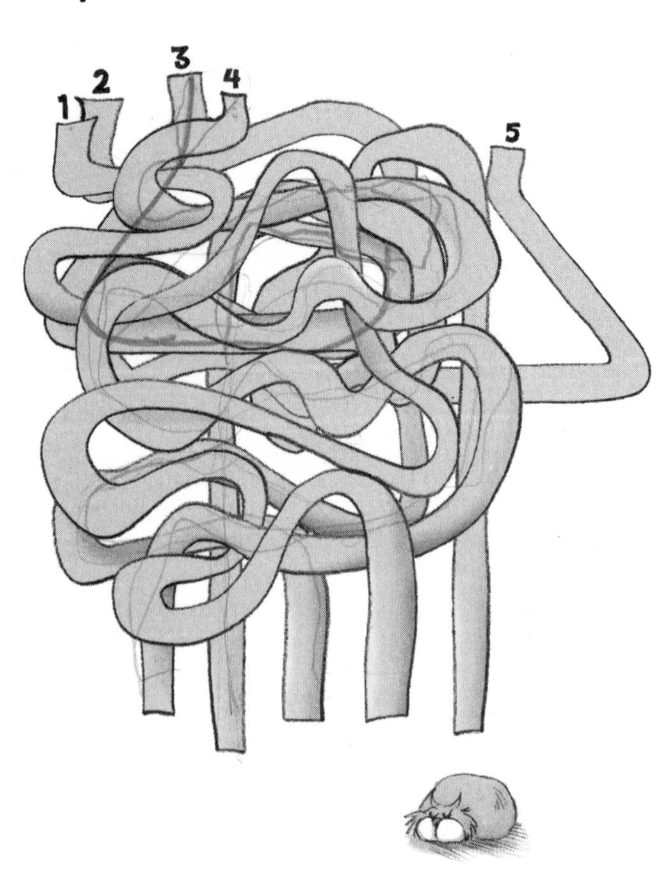

RÉBUS

Quel animal se cache sous ce rébus ?

ÉNIGME

Un chien qui a très faim se précipite chez un marchand de poulets. Mais devant l'entrée, il y a un panneau : "chiens interdits".
Que fait-il ?

DIFFÉRENCES

Trouveras-tu les 7 différences entre ces deux dessins ?

DEVINETTE

Que font deux chiens qui se rencontrent dans une rue de Tokyo ?

Relie les points pour découvrir les

DESSINS MYSTÈRE

qui se cachent en dessous.

Que trouves-tu ?

Dessin mystère n°1

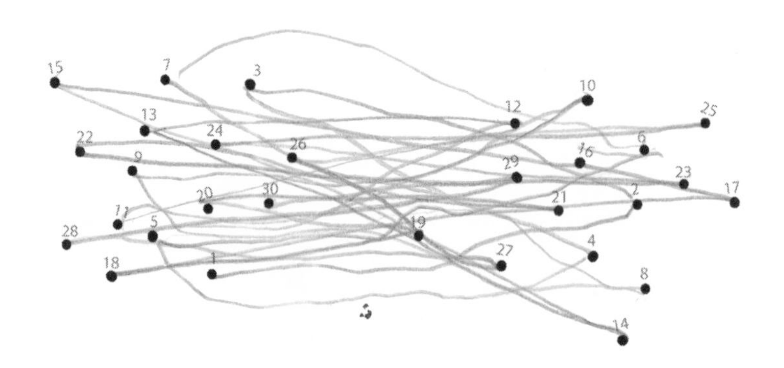

Dessin mystère n°2

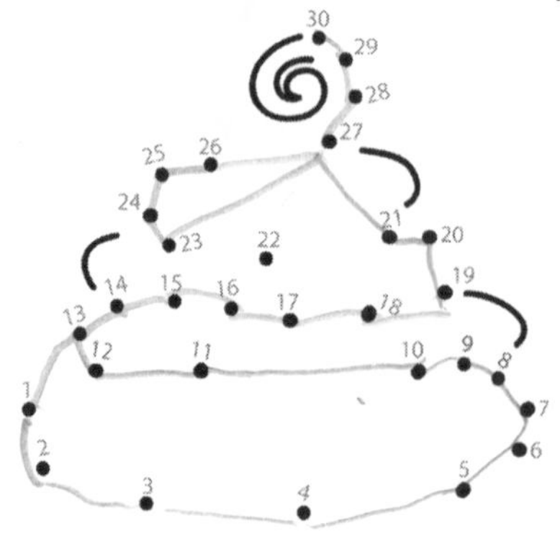

Mots Croisés

ATTENTION ! Ceci est la partie intellectuelle de l'ouvrage

1 Faut pas se moquer d'elle
2 Papa !
3 Pierre-Edmond
4 La saison qui n'est ni l'hiver, ni l'automne, ni le printemps
5 Idéal pour creuser
6 Moi
7 Figue avec un U
8 Ma région de vacances
9 Fleur les déteste
10 Gros Dalmatien
11 Il est au fond du trou
12 Animal noir et blanc
13 Meilleur moment de l'année
14 Animal anormal
15 Délice gastronomique
16 J'adore l'odeur
17 Un de mes petits noms
18 Bon pour les dents, mauvais pour le ventre
19 Là où je me suis collé une barbe à papa
20 Créature merveilleuse
21 Celui pour l'Amérique vole
22 Vaut pour titre de propriété
23 Ce mot est quelque part page 10
24 Gros, jaune et brûlant
25 Saint du 20 juillet
26 Cachette pourrie
27 La grosse boîte qui contient mon panier
28 Ça sent la lavande
29 Nom du papa de Fleur
30 Pas assez sucré
31 Pseudonyme de Gurty

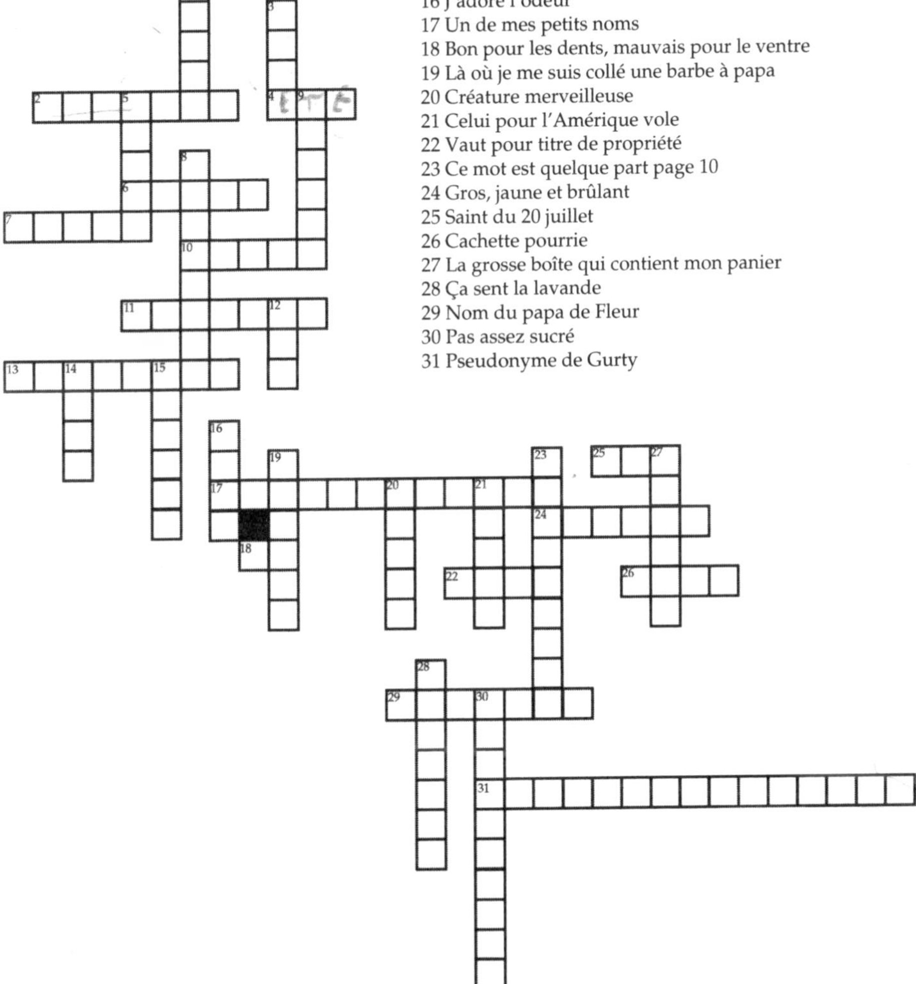

Où se cache T

te de Fesses ?

Les recettes de Gurty

Lire, ça creuse !
Après avoir nourri votre esprit avec ce livre,
il est temps de régaler le ventre !

-LE GÂTEAU AU CHAT-

Ingrédients :
- 1 Chat
- 1 Gâteau
Temps de préparation : 1 seconde

1

Trouvez un chat qui dort bien

2

Prenez un gâteau crémeux

3

Jetez le gâteau sur le chat

4

Et voilà, c'est prêt.

-LE CHICHI DE GURTY-

Pour 4 personnes :
- 250 g de farine
- 5 g de levure de boulanger
- 1 cuillère à soupe d'eau de fleur d'oranger
- 15 cl d'eau tiède
- Sucre cristallisé

Délayez la levure dans un peu d'eau tiède, versez la farine et une pincée de sel dans un saladier.
Creusez un trou (comme moi à la plage, ha ha), versez-y la fleur d'oranger, la levure et le reste d'eau.
Mélangez à la spatule et ensuite avec les mains.
Travaillez la pâte en l'étirant et en la repliant sur elle-même.
Couvrez et laissez reposer 2 heures au tiède.
Asseyez-vous devant la pâte et regardez-la doubler de volume pendant deux heures.
Vous remarquerez que c'est beau à voir.

Friture rime avec brûlure ! Ne réalise cette recette que sous la surveillance d'un adulte prétendument responsable.

Ensuite…
Formez des petits boudins en forme de Gurty et laissez-les lever encore 30 minutes.

Pour finir, l'apothéose !
Faites gonfler et dorer dans la friture chaude.

Puis, roulez-les dans du sucre cristallisé et dégustez.
Quelle régalade !

Envoie à Gurty les photos de tes plus beaux chichis sur sa page Facebook.

-LA TARTE AUX POMMES-AU POULET

1. Prenez une tarte aux pommes

2. Posez un poulet dessus

3. Et voilà. C'est prêt.

3

test psychologique

Quel personnage du livre êtes-vous ?

Répondez aux questions en comptabilisant le nombre de ronds, triangles ou carrés.

1. Il est 19 heures et vous avez faim :
● Vous vous ruez sur le frigidaire pour manger tout ce qui vous plait avec les mains
▲ Vous attendez patiemment 20 heures pour dîner à table avec tout le monde
■ Vous avez toujours sur vous un bout de chocolat, de fromage ou de souris morte en cas de petite faim

2. Vous croisez un chien dans la rue :
● Vous lui reniflez les fesses en signe d'enthousiasme
▲ Vous restez sur vos gardes
■ Vous lui crachez dessus

3. Pour Noël :
● Vous serez simplement heureux de ce que vous apportera le Père Noël
▲ Vous lui rédigez une lettre où vous prétendez souffrir de graves handicaps pour l'émouvoir et obtenir ainsi un max de cadeaux
■ Vous préparez une liste de 200 cadeaux, mais vous envoyez la lettre en oubliant de la timbrer

4. Se laver les dents ?
● Tous les soirs ! C'est important l'hygiène pour le bien vivre ensemble
▲ Uniquement si le dentifrice à bon goût, genre framboise, vanille ou poulet
■ Non, merci, ça ne m'intéresse pas

5. On vous demande de faire la vaisselle
● Bien sûr ! C'est agréable de rendre service.
▲ Contre 10 euros, c'est envisageable
■ Vous acceptez, car c'est une bonne occasion de lécher les assiettes

6. Vous venez de faire une bêtise :
● Vous jurez que ce n'est pas vous, mais on voit bien que vous mentez
▲ Vous éclatez en sanglots en avouant que vous êtes le ou la responsable
■ Vous accusez un membre de la famille (frère, sœur, grand-mère ou chien) avec un air si sincère que tout le monde vous croit

7. Quel mot préférez-vous ?

● Rigoler
▲ Partager
■ Anéantir

8. Quel super-pouvoir aimeriez-vous avoir ?

● Faire que sur Terre il n'y ait plus d'animaux malheureux
▲ Faire apparaître votre plat favori en claquant des doigts
■ Avoir des yeux rayon laser pour foudroyer vos ennemis du regard et les voir cramer en rigolant

9.Vous aimez aller à la cueillette aux champignons

● Pour améliorer vos connaissances en botanique
▲ Pour passer un bon moment entre amis
■ Dans l'espoir de trouver des champignons vénéneux pour faire des blagues

10. Vous aimez avoir des amis :

● Pour leur faire des blagues
▲ Pour être à leur écoute
■ Pour le plaisir de dire du mal d'eux lorsqu'ils sont partis

RÉSULTATS

Vous avez une majorité de ●, vous êtes GURTY
Vous êtes vraiment quelqu'un de formidable. Avec vous, chaque jour est un jour de fête. Vous avez certes de petits défauts. Vous êtes têtu(e), brouillon(ne) et impulsif(ve), mais quel cœur d'or ! Votre façon d'aborder la vie avec légèreté et fantaisie fait tout votre charme. Bien sûr, votre tempérament épuise tout le monde. Mais c'est ainsi qu'on vous aime.

Vous avez une majorité de ▲, vous êtes FLEUR
Vous êtes timide et soucieux(se) des autres. Vous détestez vous faire remarquer. La discrétion est une qualité ! Mais ne vous oubliez pas ! Vous avez parfois tendance à faire passer vos désirs personnels au second plan. N'ayez donc pas peur ! Sortez de l'ombre et exposez vos qualités et vos envies au grand soleil.

Vous avez une majorité de ■, pas de chance, vous êtes TÊTE DE FESSES
Vous êtes bête et méchant. Pour vous, la vie n'est qu'une occasion de vous moquer des gens, et de fomenter des complots. Mais sous votre carcasse rustre et malodorante se cache un petit être qui ne demande qu'à être aimé. Adressez donc un sourire au monde et vous verrez qu'il vous le rendra.

LES BONS CONSEILS DE GURTY

Votre chien est-il fier de vous ?

Pour assurer le bonheur de votre chien,
suivez les 9 conseils de Gurty

1. Mon panier

Le panier idéal est doux, mœlleux, spacieux, protégé des bruits et de la lumière, mais avec le doux ronron de la voix de son maitre à proximité. Personnellement, on m'a installée dans un tipi pour enfants. Idéal pour se sentir à l'abri et profiter quand je le souhaite d'un peu d'intimité !

Et je sais de quoi je parle !

2. Ma médaille et mon collier

Et tout d'abord, pas trop serré le collier, s'il vous plaît ! Et n'oubliez pas de graver votre numéro de téléphone. Le monde est grand et nous sommes très petits. Si on s'égare, ce précieux numéro sera la seule chance de nous retrouver.
De retour à la maison, un bon maitre retire toujours le collier pour que son chien soit à l'aise. Quand vous rentrez chez vous, vous retirez bien vos chaussures, n'est-ce pas ?

3. La solitude c'est la mort

Se retrouver seul ou enfermé est notre pire souffrance. Nous, on a besoin de partager vos aventures, vos voyages, vos joies et vos peines. Alors, retenez ceci : un chien sera toujours plus heureux assis sur un cactus avec son maitre qu'installé sur un coussin mœlleux dans une maison vide.

4. De l'air !

On veut de l'air ! Des balades! Des jeux ! De la gymnastique ! Voilà notre oxygène ! Qu'il pleuve ou qu'il vente, nous avons besoin au minimum de notre heure de balade quotidienne. (Nous apprécions la neige également).

5. Je ne suis pas une poupée

Un bon maître ne déguise jamais son chien avec des pulls, des anoraks ou des gadgets. Que ceux qui veulent jouer à la poupée aillent s'acheter des poupées, non mais !

6. Massages

Voilà bien la meilleure façon de communiquer avec son toutou et de lui dire qu'on l'aime.
Mais attention ! On est délicats ! Faut y aller mollo et dans le sens des aiguilles d'une montre. Nos endroits préférés ? Le massage des oreilles, des épaules, l'intérieur des cuisses et les pieds (attention ça chatouille). Sans oublier le point magique : juste sous les coussinets.

7. Malbouffe !

Les fabricants de croquettes sont presque arrivés à vous faire croire que la croquette est l'aliment naturel du chien ! Sinistre blague ! Ça vous plairait d'être nourri tous les jours de biscottes ou de chips ? De nombreuses études ont démontré que les croquettes ne sont pas bonnes pour notre santé.

Une bonne pâtée maison : voilà le secret du bonheur. Ce n'est pas très compliqué ni plus cher que des croquettes. Vous pouvez faire une préparation pour toute la semaine que vous conserverez au frigo.

La recette de la pâtée idéale est simple : 1/3 de légumes (carottes, courgettes...) 1/3 de riz (bien cuit) et 1/3 de viande (genre, blanc de poulet, Mmh, trop bon !). Et avec tout ça, une pincée de vitamines que vous prescrira votre vétérinaire. Vous verrez alors comme votre chien se sentira plus heureux et ô combien en meilleure santé !

8. Aimer et Avoir

Aimer les chiens n'est pas une raison suffisante pour en avoir.

Aimer un chien, c'est parfois renoncer à en adopter un.

Un chien exige beaucoup de temps et d'énergie. C'est un engagement qui dure entre dix et vingt ans. Lorsqu'on n'est pas certain de disposer d'assez de temps ni d'espace, mieux vaut se lancer dans la collection de timbres. Avoir un animal malheureux chez soi ne fera l'affaire de personne.

9. Je ne suis pas une marchandise

Savez-vous que les animaleries sont interdites dans de nombreux pays (comme la Belgique depuis 2009) ? Ce genre de commerce génère beaucoup de drames. Mieux vaut chercher du côté des éleveurs, à condition qu'ils soient reconnus pour leur sérieux. Ou encore mieux, aller à la SPA pour recueillir un animal abandonné. Ainsi, grâce à tout votre amour, ce malheureux pourra découvrir que parmi les milliards d'humains, il y en a quelques-uns qui sont des gens très bien.

Réponses

Le tuyau de la vengeance

Tuyau numéro 3

Rébus

Il s'agit d'un Mopanrépiterfeutou,
un animal rare et mystérieux.

Énigme

Il ne sait pas lire, alors il rentre sans la moindre hésitation.

Devinette

Ils se jappent au nez.

Dessins mystère

Dessin mystère n°1 : du foin
Dessin mystère n°2 : un chef-d'œuvre d'art moderne.

Mots croisés

Voir la réponse sur la page
"Le journal de Gurty" sur Facebook.

Où se cache Tête de Fesses ?

Cherche encore un peu...

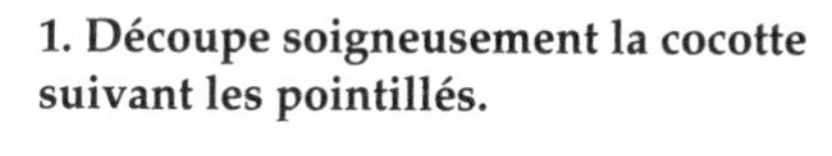

La cocotte Gurty

1. **Découpe soigneusement la cocotte suivant les pointillés.**

2. **Le pliage est ensuite un jeu d'enfant…**

On va bien se marrer !

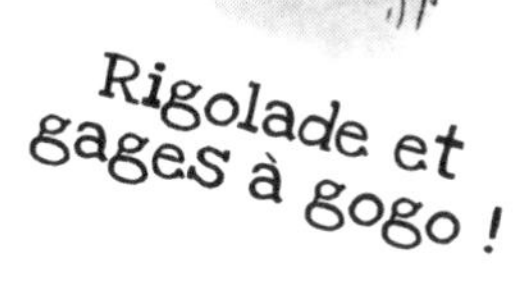

GUR

RAT

CUREUIL

FLEUR

Imite un chien qui fait pipi

Rampe sur le sol comme un serpent

Souffle dans l'oreille de ton voisin

Fais le tour de la pièce à quatre pattes en aboyant

Fais-toi chatouiller par ton voisin sans rire pendant 10 secondes.

Fais-toi pincer une fois par chaque joueur

Tape trois fois ton derrière par terre en criant "Houba"

Imite un chat qui fait caca

OISEA

MONSTRE DU TROU

VACHE

TÊTE DE FESSES

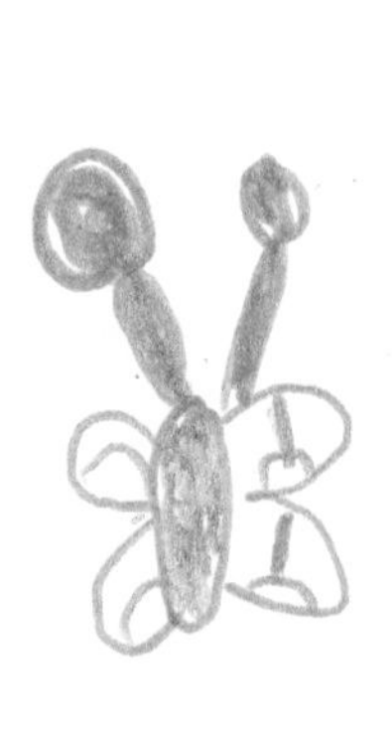

Directeur de publication : Frédéric Lavabre
Collection dirigée par Tibo Bérard
Maquettiste : Claudine Devey
Couverture : Bertrand Santini

Achevé d'imprimer en octobre 2022
sur les presses de l'imprimerie Grafica Veneta S.p.A.
N° d'édition : 0010
Dépôt légal : 1er semestre 2015
ISBN : 978-2-84865-789-9

Imprimé en Italie